目次

鶴岡八幡宮の歴史と刀剣

鎌倉文華館 鶴岡ミュージアム 館長
鶴岡八幡宮 宮司
吉田茂穂

鎌倉殿と鶴岡八幡宮

三方に山を背負い、南が海に臨んで開けた鎌倉は、守るに易く攻めるに難い要地であった。源頼義、義家、頼朝が根拠地とした理由もそこにある。

十三歳で平治の乱に遭い、父祖兄弟を失い失意の中かろうじて一命を保ち得た頼朝の二十年間の伊豆配流生活の後の旗揚げを、伊豆山権現の覚淵は「君は忝《かたじけな》くも八幡大菩薩の氏人、法華八軸の持者なり。八幡太郎の跡を稟《う》け、旧の如く東八ヶ国の勇士を相従へ」と祝福した。「速やかに相模国鎌倉に出でしめ給ふべし」と、東国武士たちの期待を一身に背負っての鎌倉入りであった。鎌倉を居所と定め、中央（京都）を離れ、「辺隔」の地・鎌倉を切り開いて街造りをし、政治の中心地に据え、文化を開き、人心を新たに武士道を興し、新生日本の道を拓いた頼朝を、人々は「鎌倉殿」と称えた。

頼朝は、先祖頼義、義家父子が創建、修理を施した鶴岡八幡宮を、治承四年（一一八〇）に由比郷《ゆいのごう》から小林郷北山《こばやしごうきたやま》（現在の地）に遷《うつ》した。以降、亡くなる正治元年（一一九九）までの二十年間、鎌倉の主として尊崇の誠を捧げた頼朝の姿には、格別なものがあった。政権を確立し、幕府を開いた頼朝が、幕府の宗社と位置づけた八幡宮は、武家政権の守護として、将軍家、鎌倉幕府や御家人から篤く信仰、保護され、社領の寄進、社殿の造営、捧げものの奉納がなされ、神楽・法会・神馬・刀剣などの奉納が行われた。このことは頼朝以来の先例となり、北条氏から豊臣氏、徳川氏へと引き継がれた。以後、当宮の奉斎と祭祀は永く続き、その精神は今日まで途切れたことはない。

鶴岡八幡宮の歴史と武将

当宮の八〇〇年を超える長い歴史には、大きな節目がいくつかあった。

治承四年（一一八〇）　頼朝、由比郷の鶴岡宮を小林郷（現在地）に奉遷

建久二年（一一九一）　鎌倉大火、頼朝が上宮・若宮・末社などの遷宮執行

三月四日、町辺に起きた大火によって、社殿の殆どが灰燼に帰し、幕府も難に遭って焼失した。頼朝は御社頭に詣で僅かに残った礎石を拝して涙にむせんだという。その後、平氏を倒して全国統一を成し遂げた頼朝は、直ちに総力を挙げて新たな御社頭の造営を行った。大臣山《だいじんやま》を切り拓いて、一段高いところに楼門を仰ぐようになった。

こうして今日に至る上下両宮の制が完成をみるのは、この年の十一月二十一日のことである。

大永六年（一五二六）　里見氏によって放火破却される

天文九年（一五四〇）　北条氏綱により再建成る

北条早雲から家督を譲られた氏綱が鎌倉を留守にしていた大永六年、安房の里見義弘が兵船で由比ヶ浜に押し渡り、八幡宮を破却放火し、その宝物の類を奪い取るという事件が起こった。氏綱は八

幡宮の荒廃ぶりを嘆き、天文二年（一五三三）再建に着手した。

氏綱は、綱広・綱家・康国の三刀工に太刀を作らせ、銘を「所願成就皆令満足」とした。天文七年（一五三八）八月二日のことである。そこには再建が叶うことへの並々ならぬ満足感と八幡大神に対する謝意が込められている。この氏綱もある意味で鎌倉武士精神を体現した人物の一人であったと評価できる。その氏綱は「お書置き」を残している。遺言として嫡男氏康に贈ったもので、「技を重んじ、分を弁え、人（部下）を大切にし、浪費せずに倹約し、そして勝っても驕ることなく、勝って兜の緒を締めよ」とある。

寛永元年（一六二四）　徳川秀忠の命により、上宮・若宮の造替成る
元禄十年（一六九七）　徳川綱吉の命により修造成る
元文元年（一七三六）　徳川吉宗の命により修造成る
宝暦三年（一七五三）　徳川家重の命により修造成る
天明元年（一七八一）　徳川家治の命により修造なる
文政十一年（一八二八）　雪ノ下置石村より出火、上宮などを焼失。同年、徳川家斉の命により再建成る
明治元年（一八六八）　神仏分離令の発布
明治六年（一八七三）　明治天皇御親拝

これらの重要な場面には必ず、刀剣が当宮に奉納されてきた。これは貴重な品々を神へ捧げるという古代の神祭りの伝統が中世以降も変わることなく受け継がれてきた証である。

後世に伝えるために

古来、日本人は刀剣に対し、特別な感情を抱いてきた。その多くが全国の神社に納められている。

この事実は刀剣の神聖性を物語るものである。

一、名古屋の熱田神宮のように天叢雲剣《あめのむらくものつるぎ》（草薙剣《くさなぎのつるぎ》）そのものが御神体、神霊の所在である。

二、神様の御料として調進されたもの。即ち神様が佩帯《はいたい》されるものである。

三、神様に祈願するときや、その成就の報賽に奉納するものである。

特に平安時代以降、武士の台頭とともに戦勝祈願やその成就に奉納する機会が増えてきた。刀剣は単なる武器に留まらず、古来「鏡」「玉」と共に神霊の宿るものとして崇められてきたが、武士はそれを「魂」に昇華して心情を磨き、自らの命として尊重したといえる。

当然鶴岡八幡宮には、源頼朝の奉納以来、数多の刀剣類が神宝として所蔵されている。これらの刀剣類は、本阿彌光次先生のご指導により保存管理され、十分な手入れがなされている。保存が良く、量も多く、拵が揃っていることなど、当宮所蔵の刀剣類の存在はつとに有名なところである。

このたび、当宮の文化活動の発信拠点である「鎌倉文華館　鶴岡ミュージアム」が、二〇二〇年末に国の重要文化財に指定されたことを機に、「鶴岡八幡宮の名刀 歴史に宿る武士の信仰」展を開催することとなった。また、本展に合わせ、当八幡宮が所蔵する約八十振に及ぶ収蔵刀剣のうち、五十振を中心に、古神宝類などを加え書籍として発刊することとした。

本書によって、中世以降受け継がれてきた神祭りの伝統と、刀剣に込められた神聖性を後世に伝えることができれば幸いである。

刀剣の部

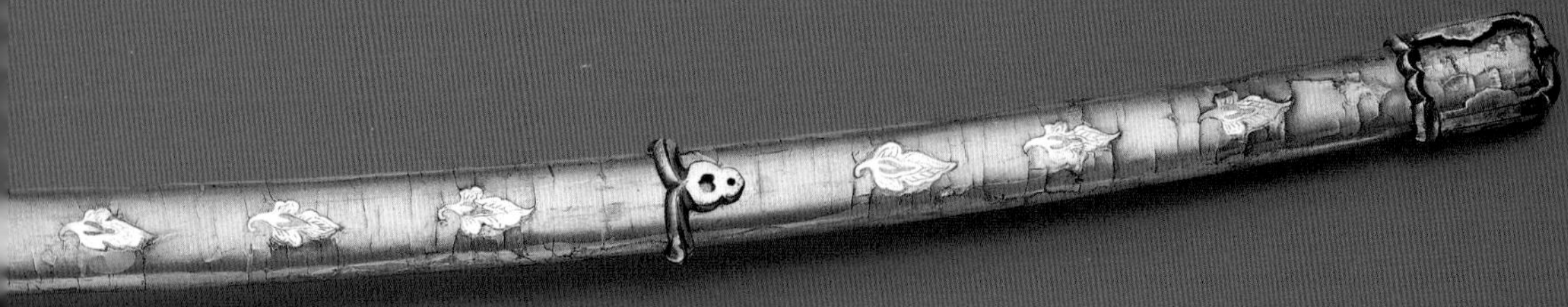

国宝

沃《い》懸《かけ》地《じ》杏《ぎょう》葉《よう》 螺《ら》鈿《でん》太刀〔衛《え》府《ふ》の太刀〕 甲

拵

鎌倉時代
刃長74・4cm
伝 源頼朝寄進

沃懸地杏葉 螺鈿太刀〔衛府の太刀〕甲

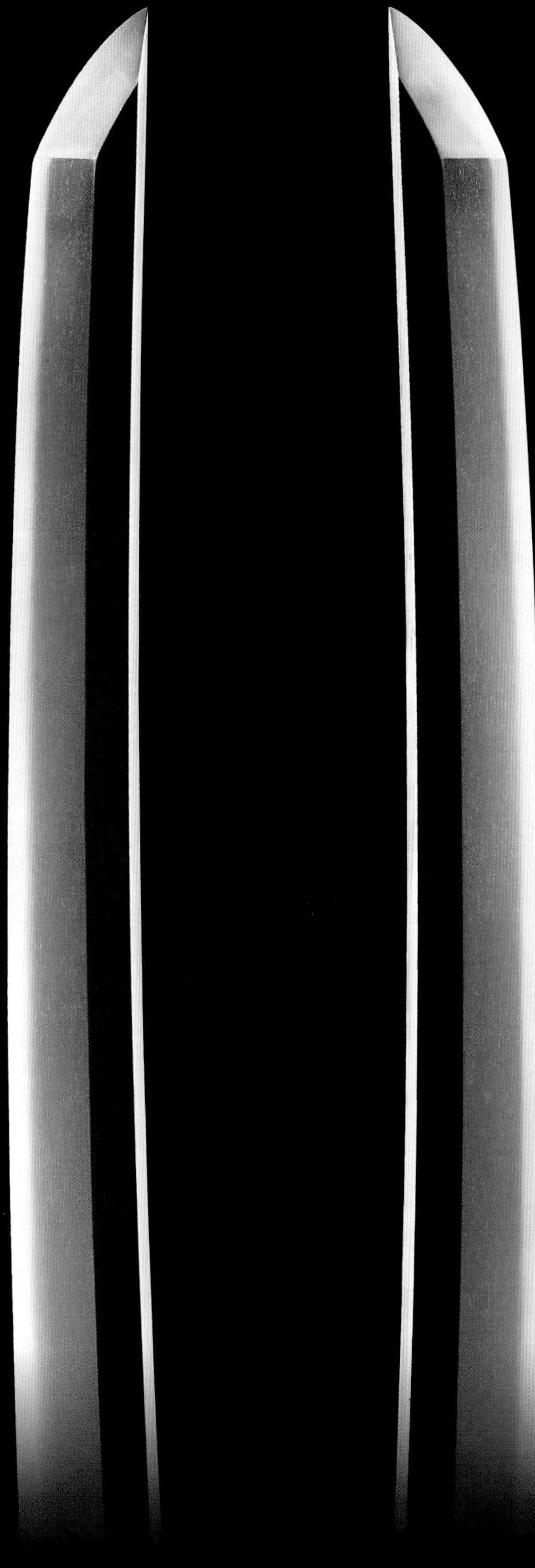

沃懸地杏葉螺鈿太刀〔衛府の太刀〕甲

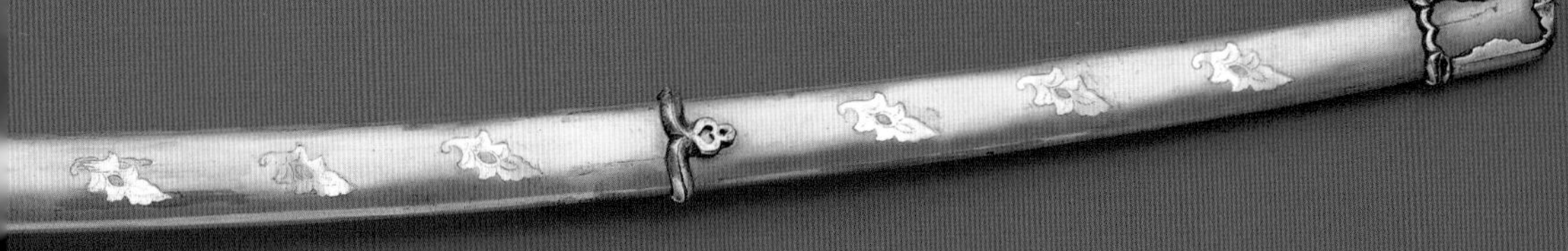

国宝

沃《い》懸《かけ》地《じ》杏《ぎよう》葉《よう》 螺《ら》鈿《でん》太刀
〔衛《え》府《ふ》の太刀〕乙

拵

鎌倉時代
刃長75・8㎝
伝 源頼朝寄進

沃懸地杏葉 螺鈿太刀〔衛府の太刀〕乙

沃懸地杏葉　螺鈿太刀〔衛府の太刀〕乙——〇一七

国宝

太刀 銘 正《まさ》恒《つね》

拵

鎌倉時代

刃長78・1㎝

徳川吉宗奉納

太刀 銘 正恒

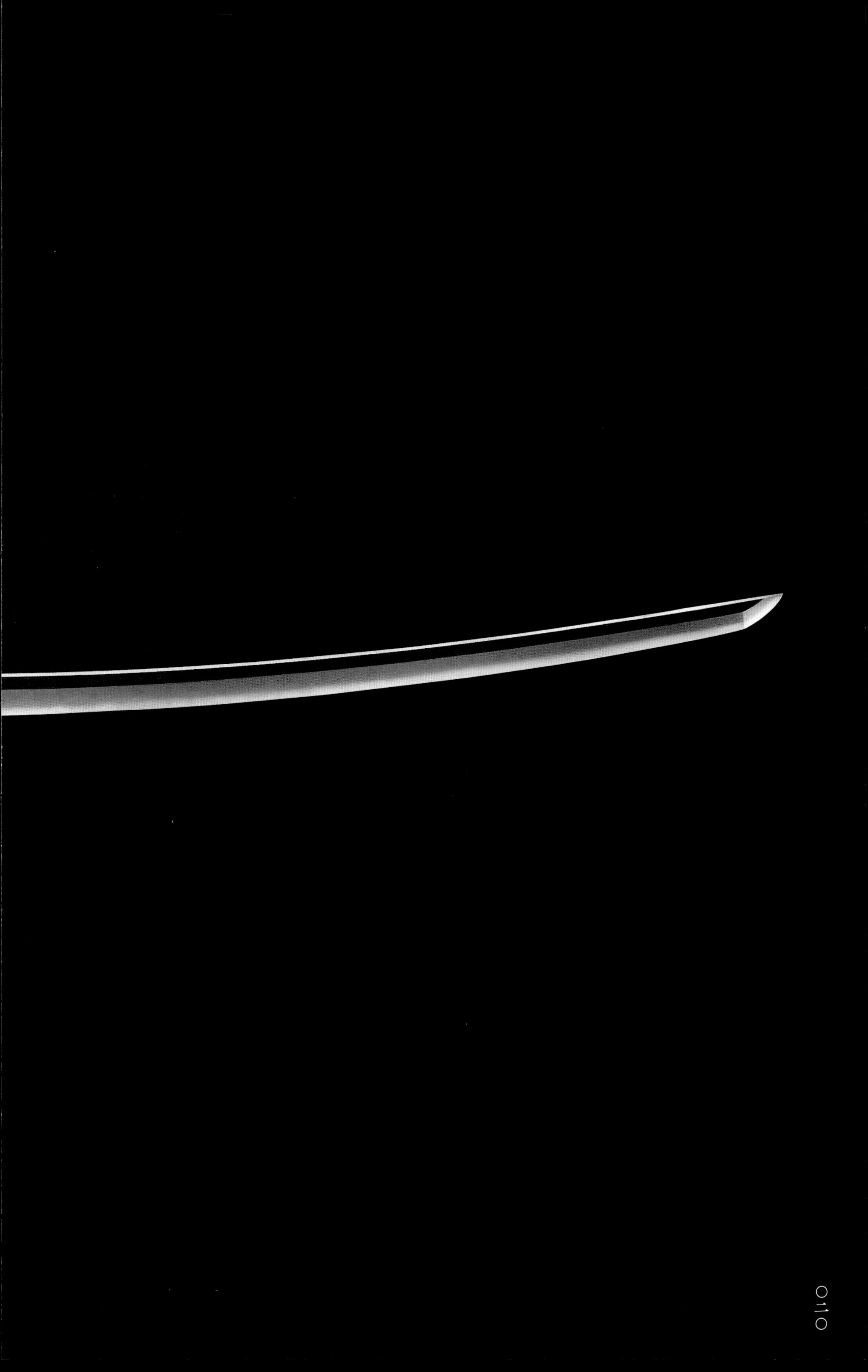

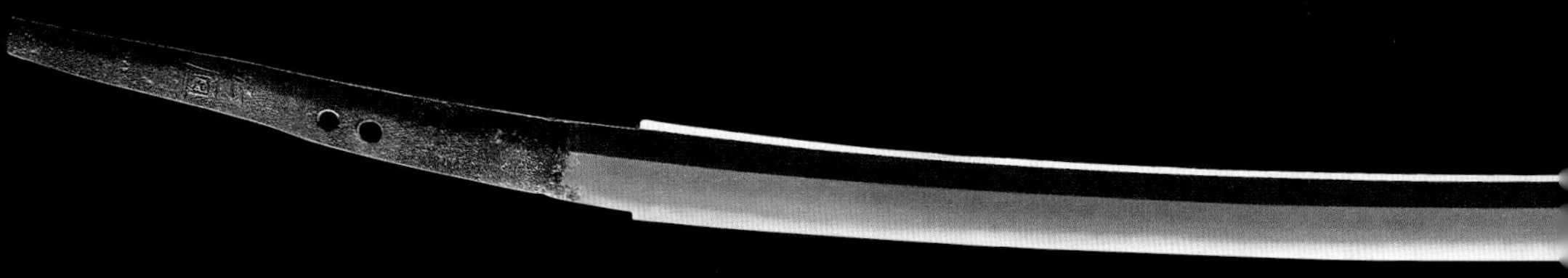

太刀 銘 正恒

太刀　銘　正恒――

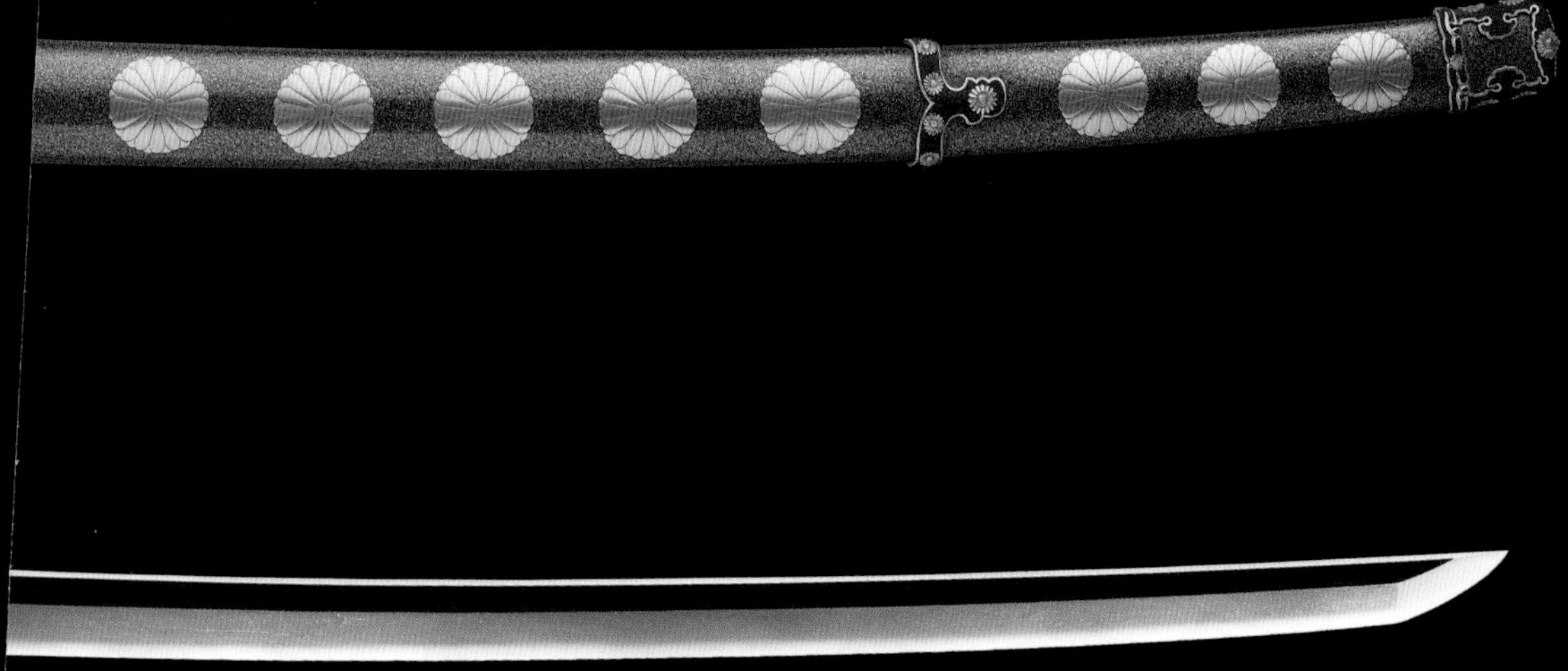

重文

太刀 金《きん》象《ぞう》嵌《がん》
銘 國《くに》吉《よし》
拵

鎌倉時代
刃長69・7cm
明治天皇御寄進

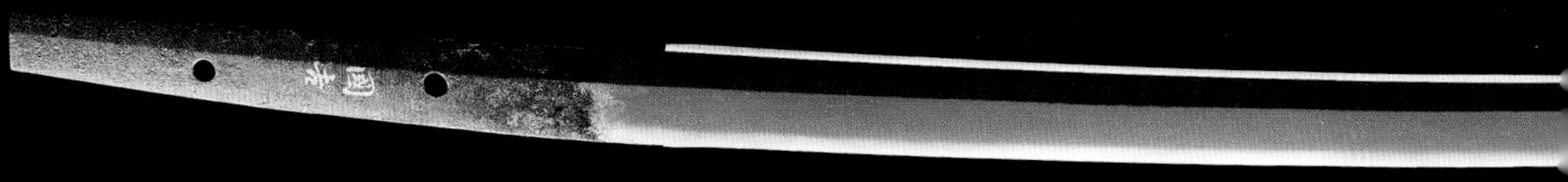

太刀 金象嵌 銘 國吉

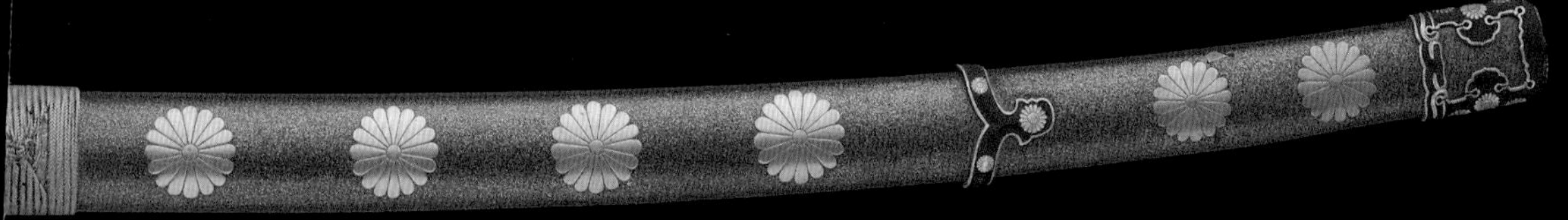

重文

太刀 銘 長《なが》光《みつ》

拵

鎌倉時代後期
刃長70・3㎝
徳川家重奉納

太刀 銘 長光

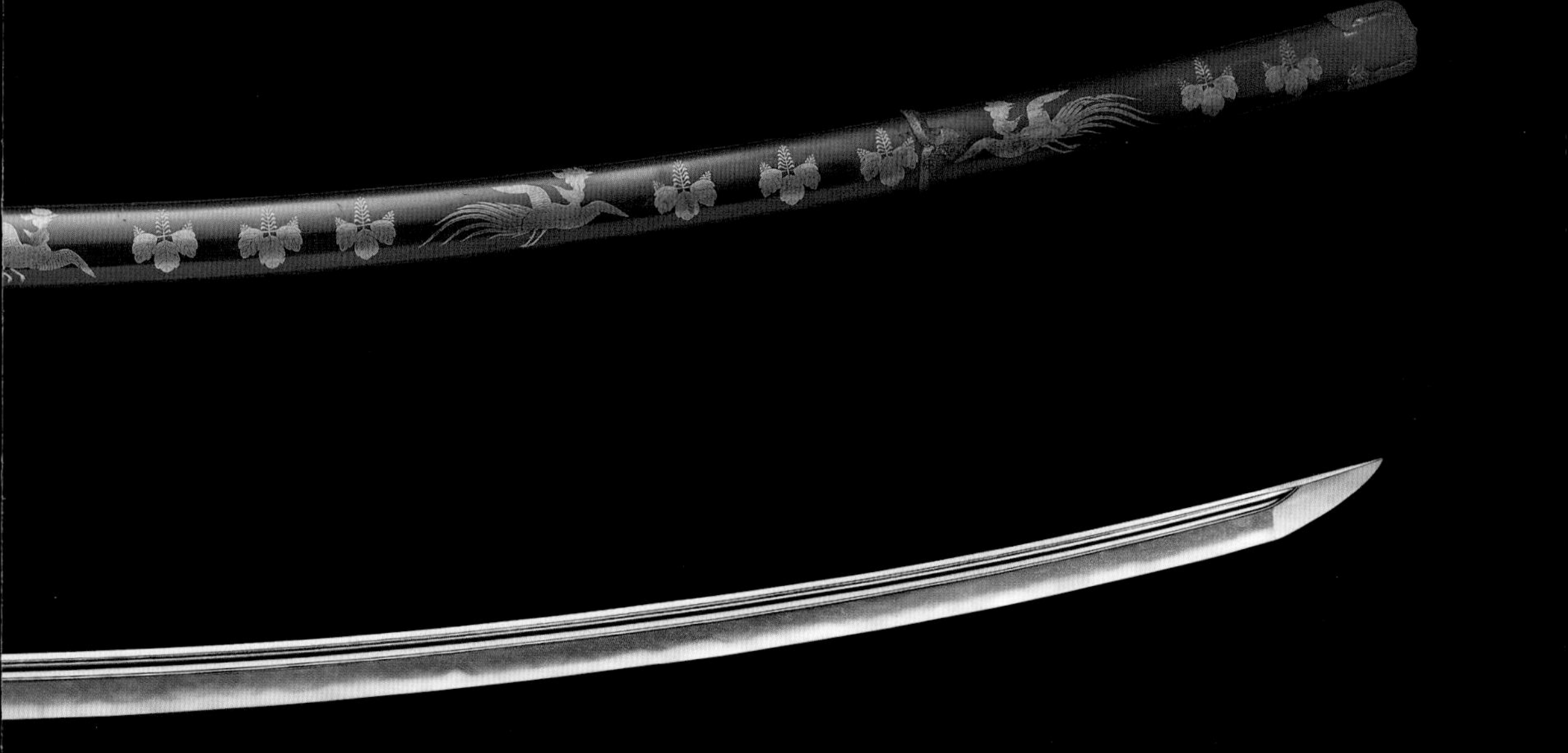

重文

太刀　相《そう》州《しゅう》住《じゅう》綱《つな》広《ひろ》作《さく》　拵

室町時代（天文七年、一五三八）
刃長99・4㎝
北條氏綱奉納

太刀　相州住綱広作

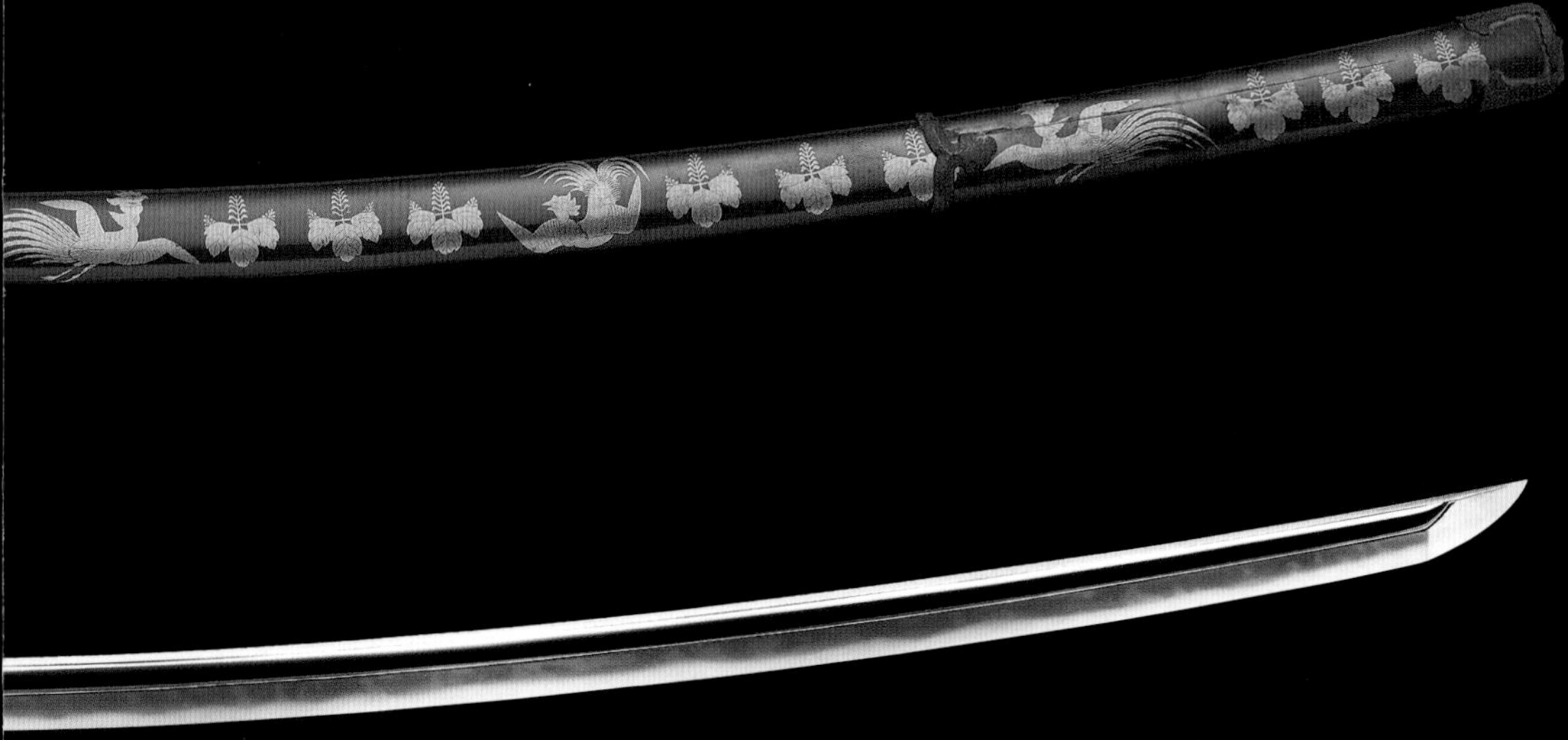

重文

太刀 綱《つな》家《いえ》作《さく》 拵

室町時代（天文七年、一五三八）
刃長89・1cm
北條氏綱奉納

太刀　綱家作

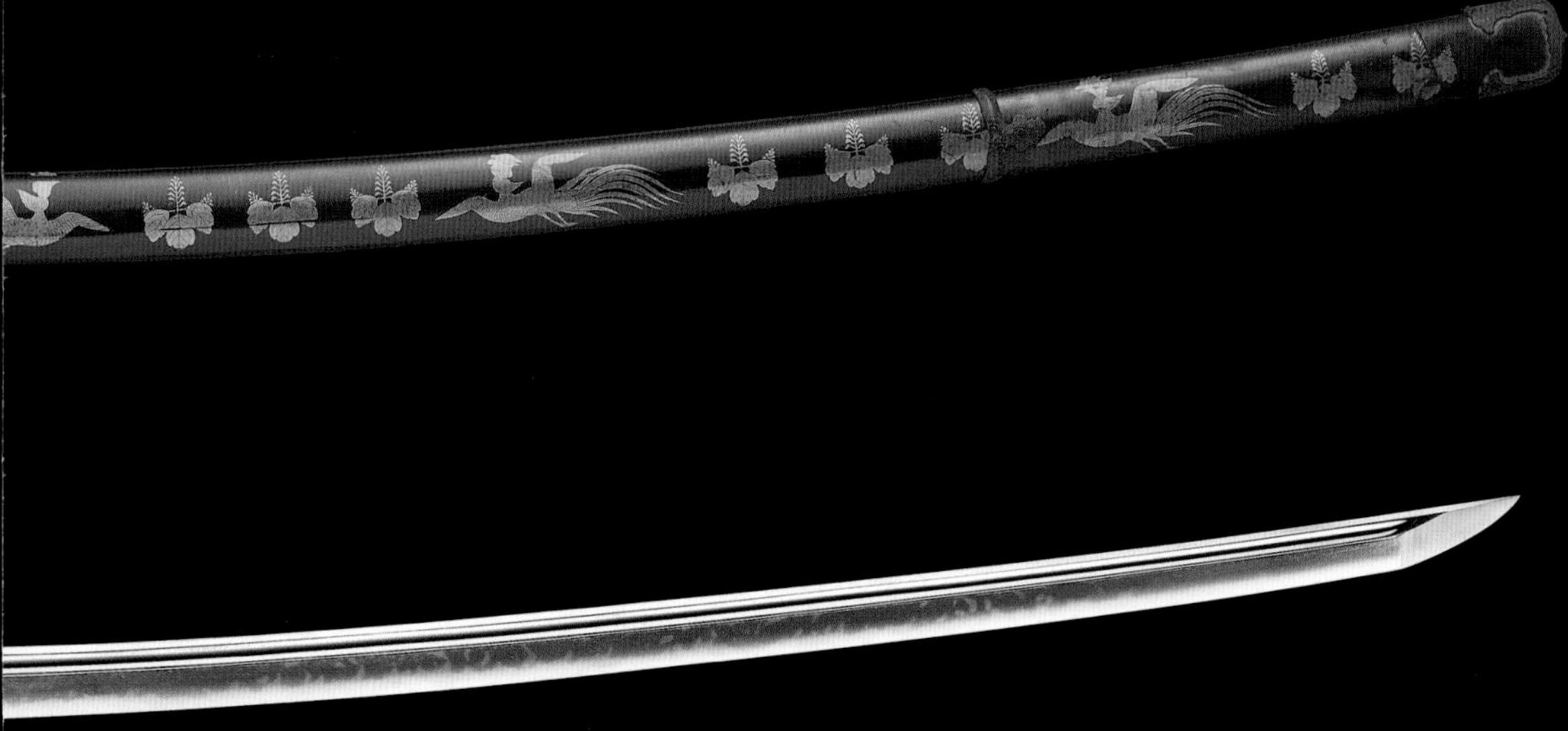

重文

太刀　康《やす》國《くに》作《さく》　拵

室町時代（天文七年、一五三八）
刃長１０２・５㎝
北條氏綱奉納

太刀　康國作

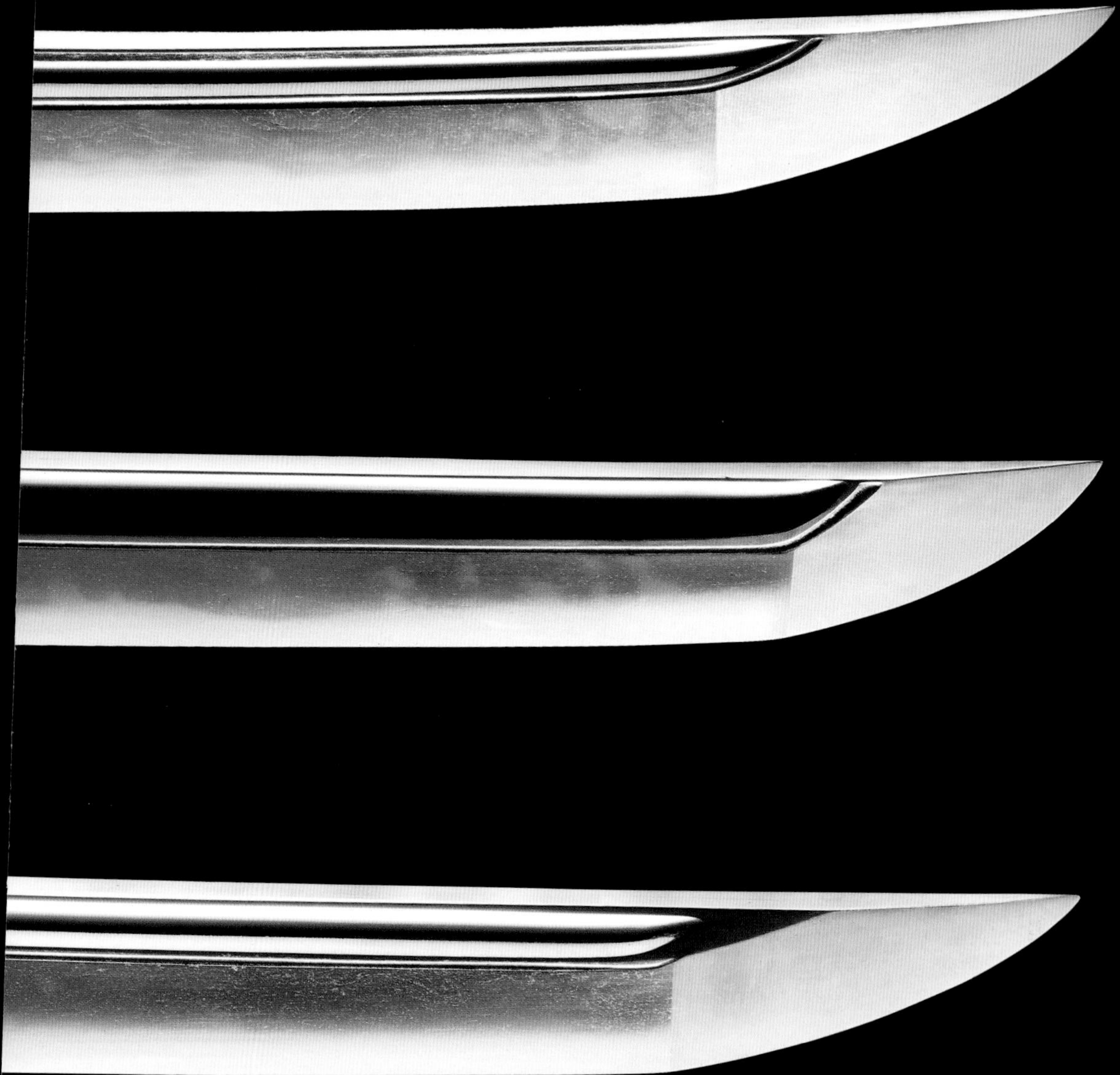

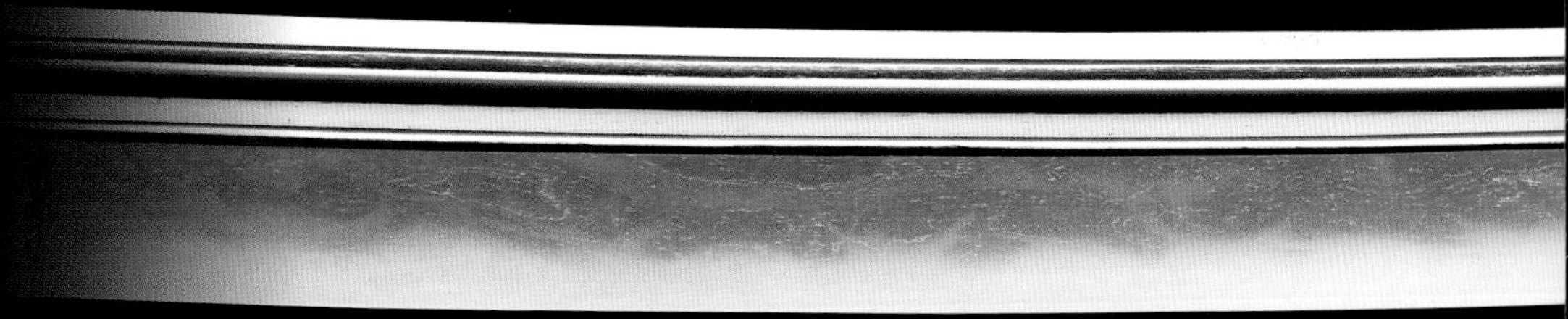

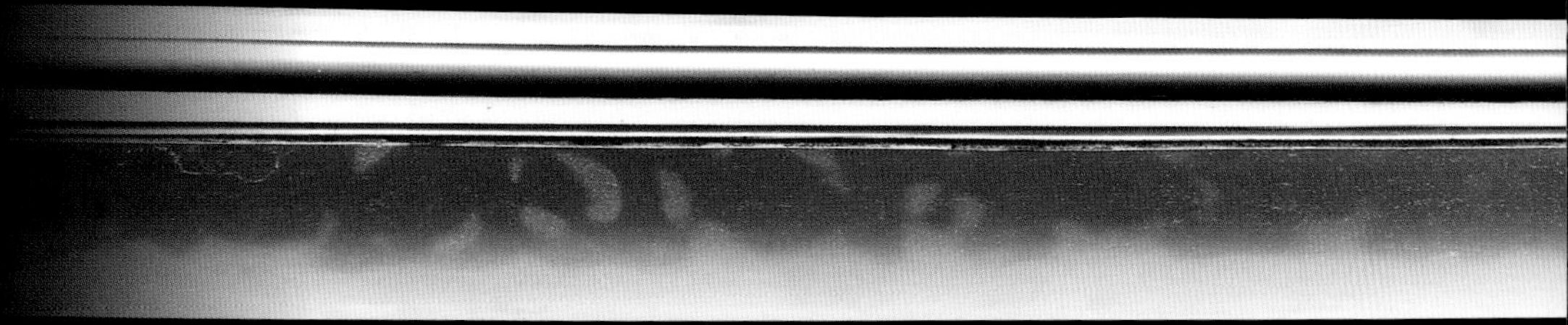

太刀　相州住綱広作――太刀　綱家作――太刀　康國作

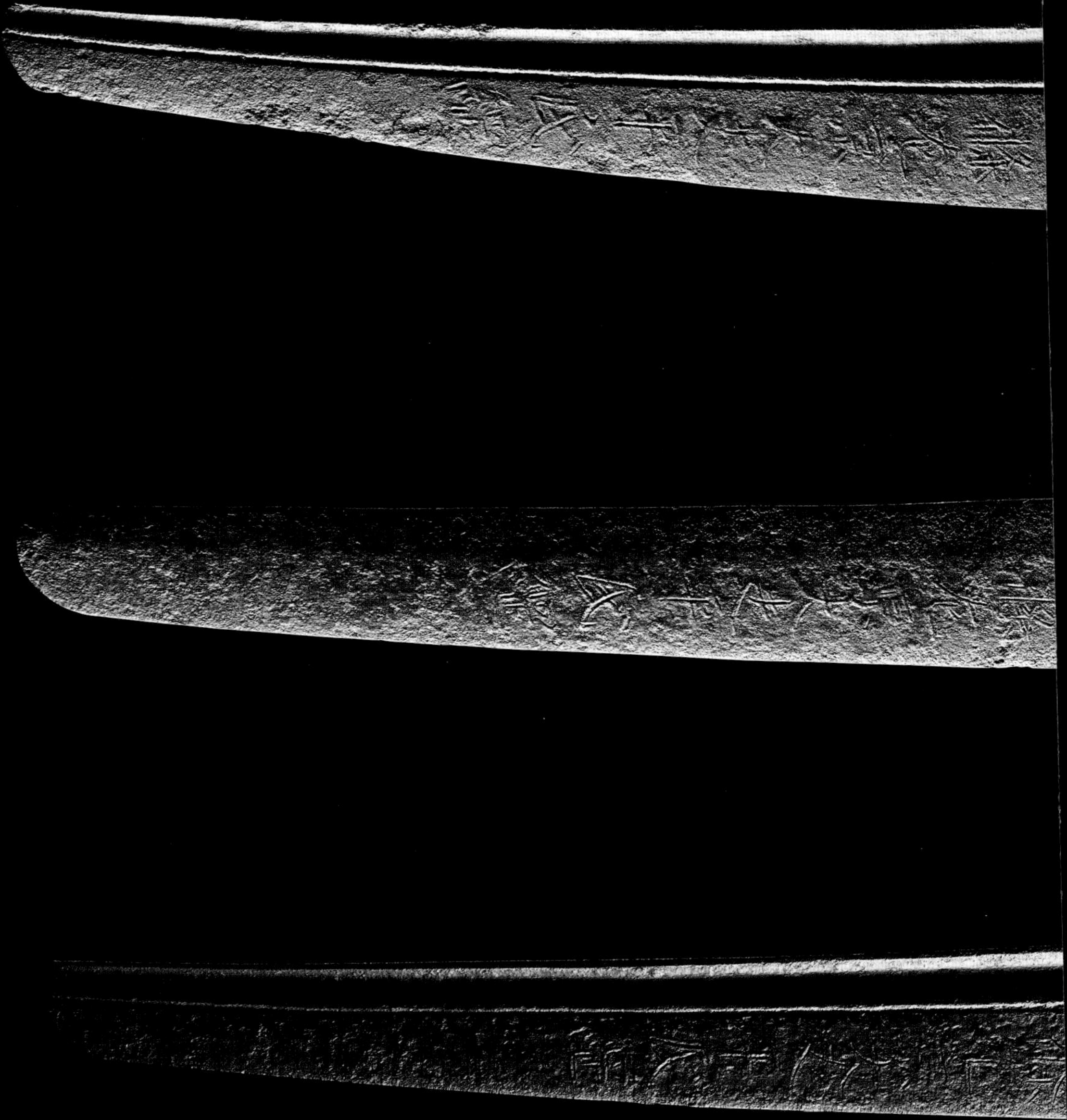

太刀　相州住綱広作―

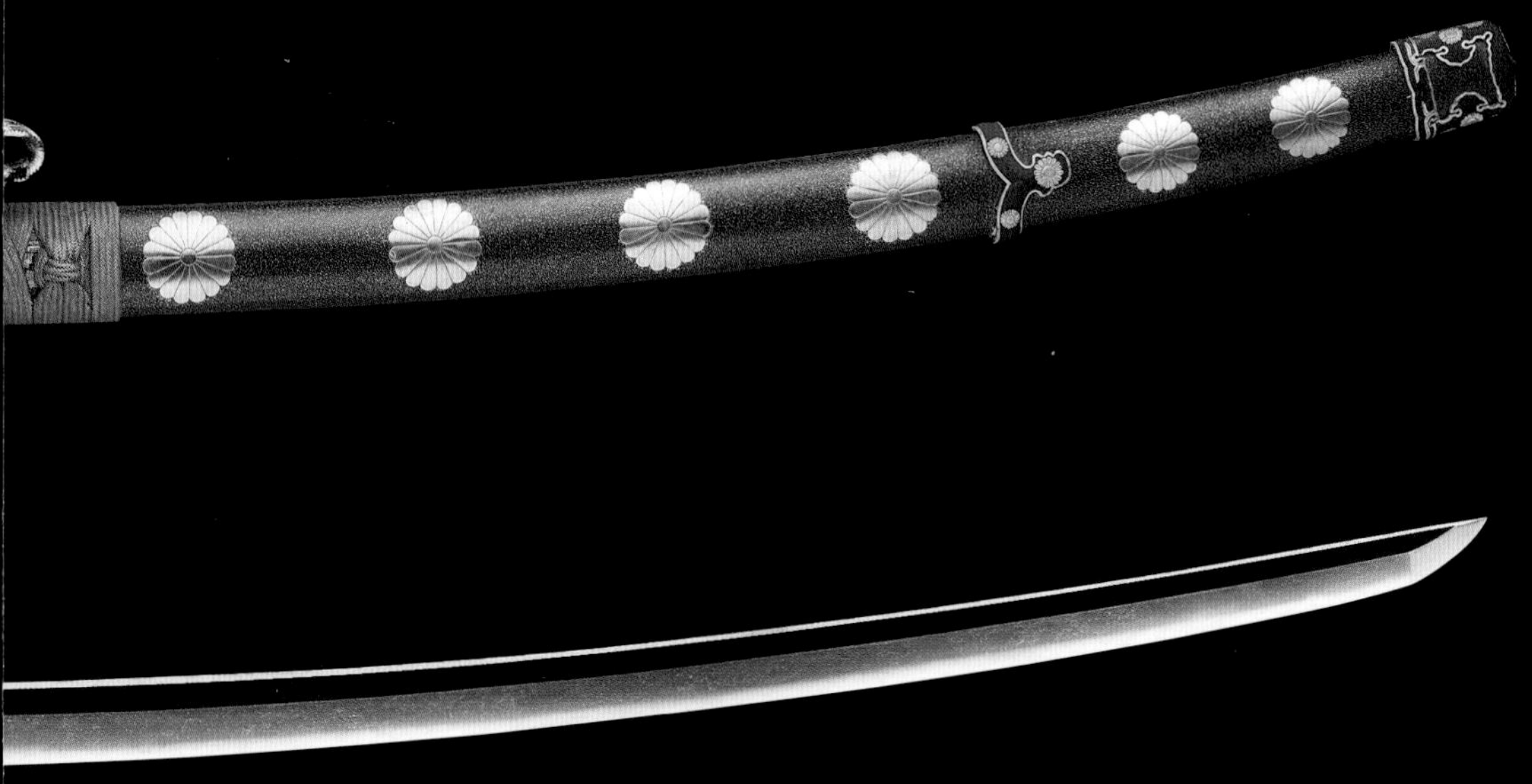

太刀 銘 国《くに》村《むら》 拵

鎌倉時代末期

刃長69・6㎝

徳川家治奉納

太刀　銘　国村——〇三九

太刀　銘　国村

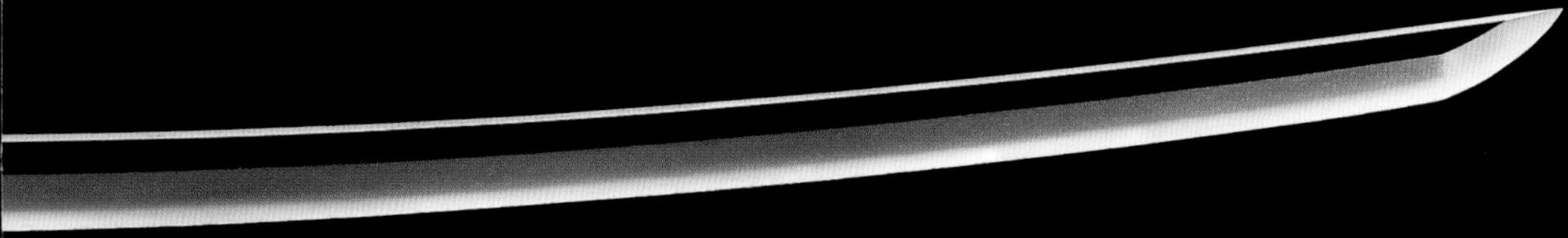

刀　銘　肥《ひ》前《ぜん》住《じゅう》
播《はり》磨《ま》大《だい》掾《じょう》藤《ふじ》原《わら》忠《ただ》国《くに》

拵

江戸時代初期
刃長70㎝
徳川家斉奉納

刀　銘　肥前住播磨大掾藤原忠国——

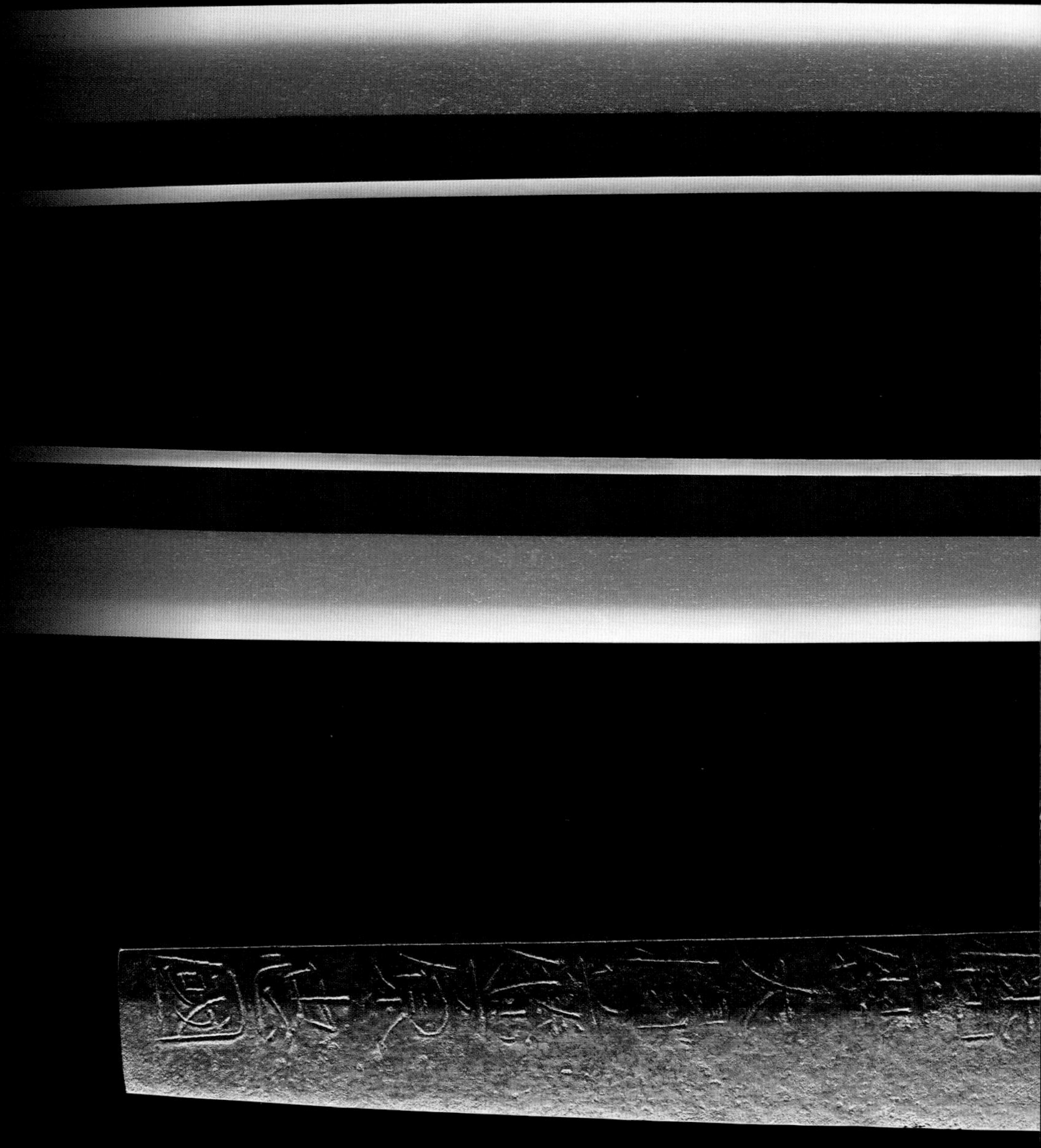

刀　銘　播磨大掾藤原忠国

槍　銘　駿《すん》州《しゅう》島《しま》田《だ》源《みなもとの》義《よし》助《すけ》

室町時代

刃長43・4㎝

槍　銘　与《よ》州《しゅう》松《まつ》山《やま》住《じゅう》下《しも》坂《さか》作《さく》

江戸時代
刃長41・3㎝

笹穂槍　銘　兼《かね》常《つね》

室町時代末期

刃長39・6㎝

刀 銘 兼《かね》氏《うじ》

室町時代
刃長71・9cm

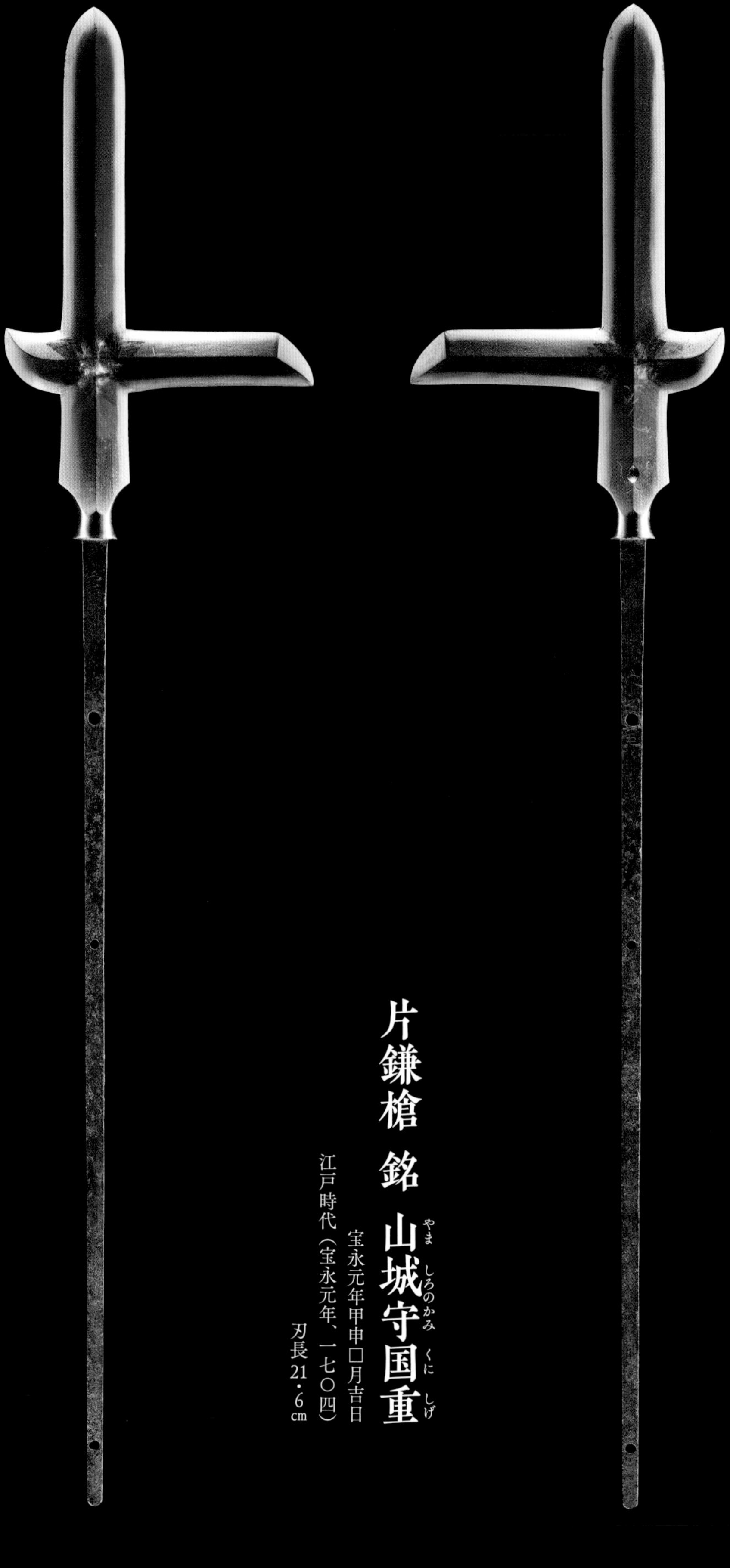

片鎌槍　銘　山《やま》城守《しろのかみ》国《くに》重《しげ》
宝永元年甲申□月吉日
江戸時代（宝永元年、一七〇四）
刃長21・6㎝

槍　銘　河《かわ》内《ちの》守《かみ》藤《ふじ》原《わら》国《くに》助《すけ》

江戸時代

刃長42・9cm

刀〔伝備《び》前《ぜん》国《こく》秀《ひで》光《みつ》〕

南北朝時代
刃長64・3㎝

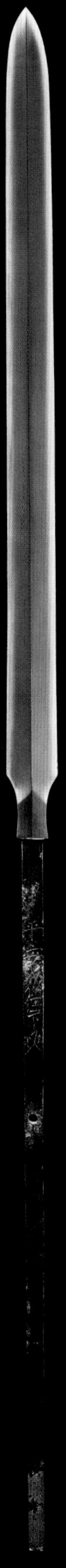

槍　銘　平安《へいあん》城住《じょうじゅう》下坂《しもさか》

江戸時代
刃長41・3cm

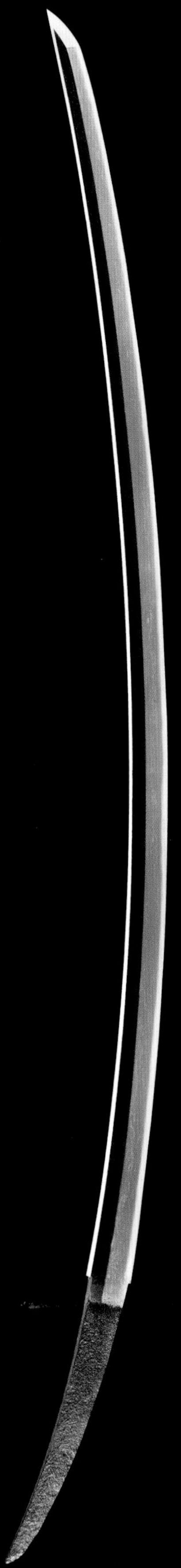

太刀 銘 行《ゆき》光《みつ》

室町時代

刃長71・8cm

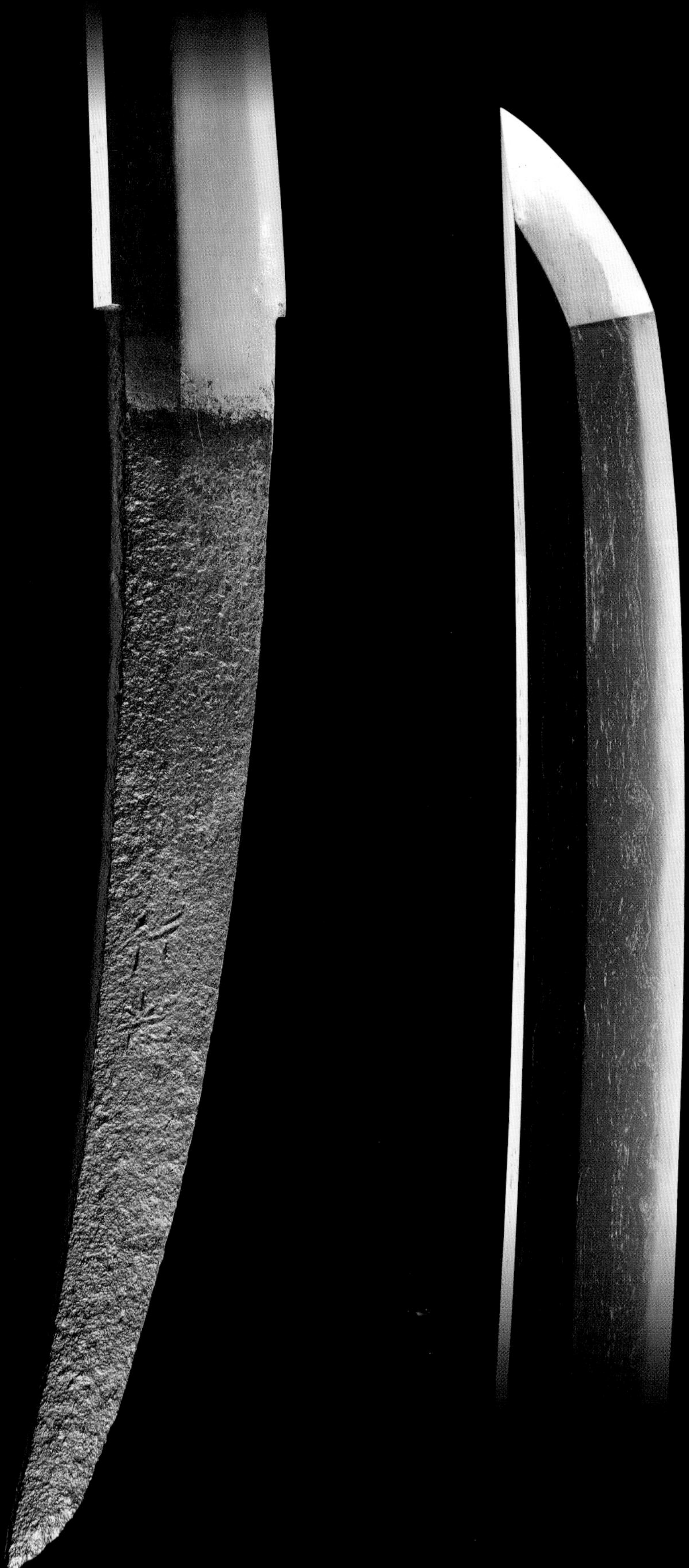

太刀　銘　行光――――〇五五

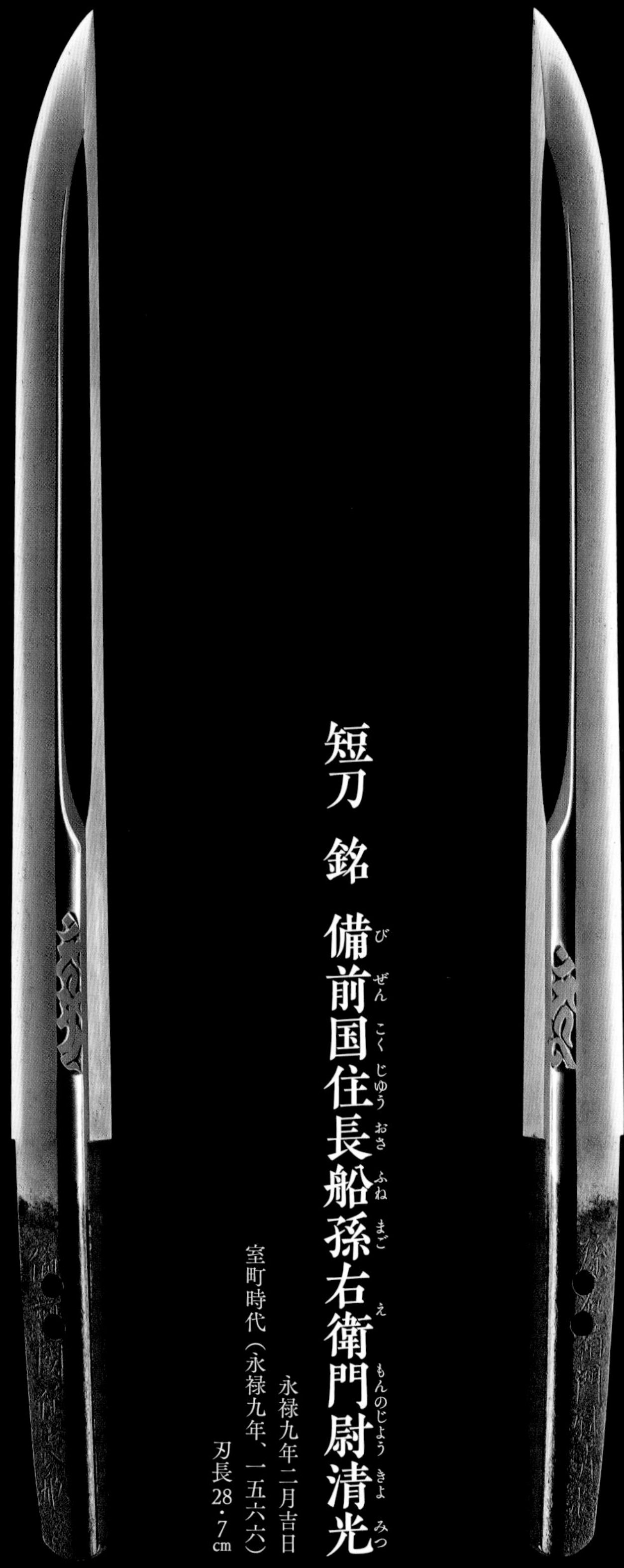

短刀　銘　備《び》前《ぜん》国《こく》住《じゅう》長《おさ》船《ふね》孫《まご》右衛《え》門尉《もんのじょう》清《きよ》光《みつ》

永禄九年二月吉日

室町時代（永禄九年、一五六六）

刃長28・7㎝

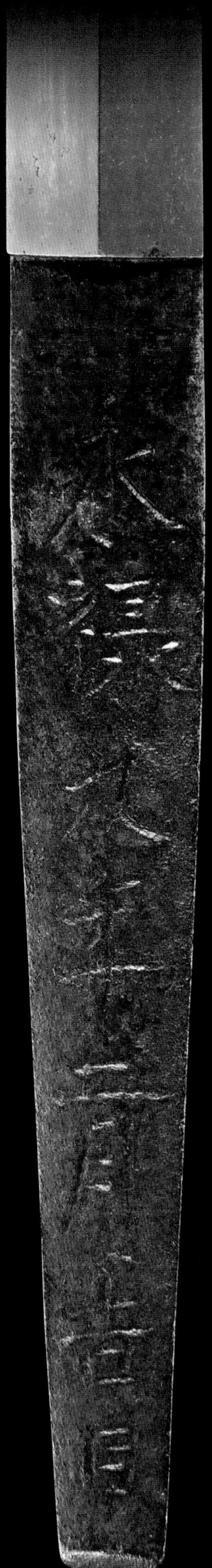

短刀　銘　備前国住長船孫右衛門尉清光——

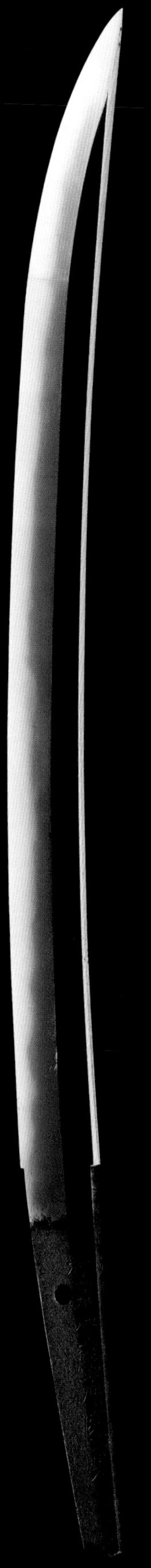

脇指　銘

和泉《いずみ》守《のかみ》藤原《ふじわら》国貞《くにさだ》

江戸時代

刃長40cm

剣〔伝天《あま》国《くに》〕

鎌倉時代
刃長35・5㎝

短刀　銘　備《び》州《しゅう》長《おさ》船《ふね》法《のり》光《みつ》
永□三年十月日
室町時代
刃長19・8cm

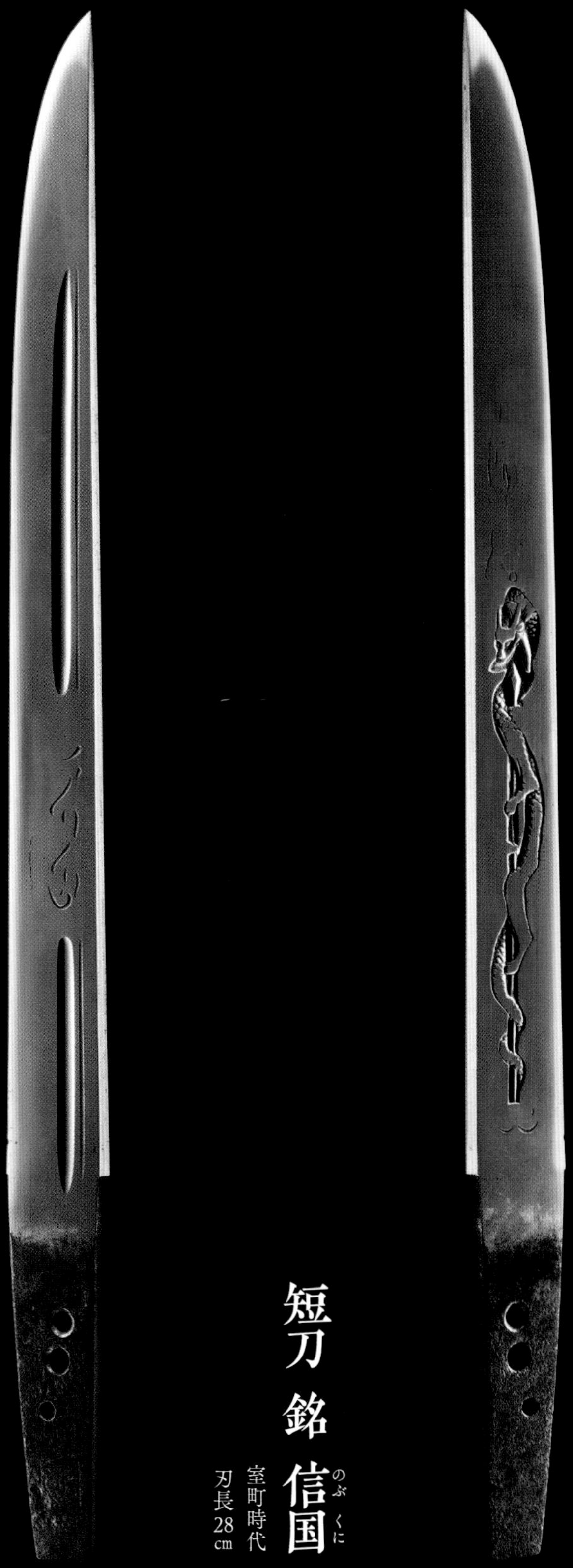

短刀 銘 信国《のぶくに》

室町時代
刃長28cm

刀 銘 兼《かね》春《はる》

室町時代

刃長76・8cm

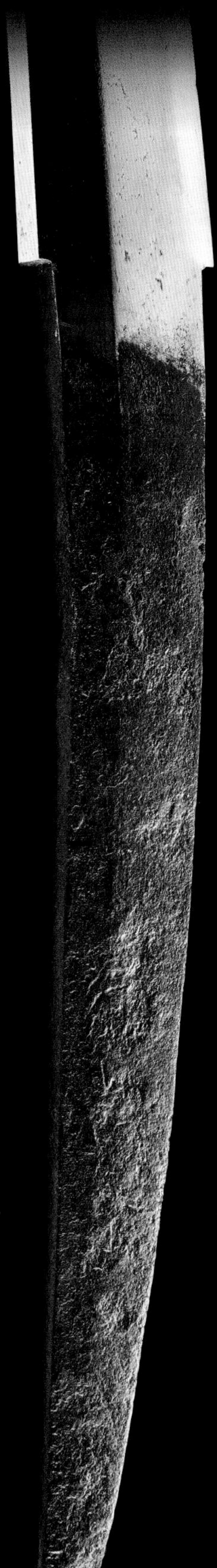

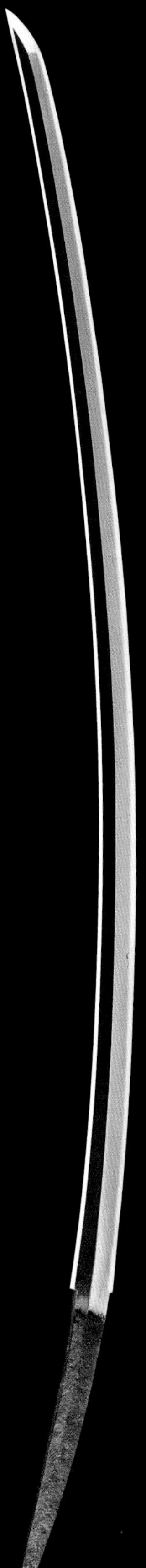

太刀 銘 行光《ゆきみつ》

室町時代
刃長72cm

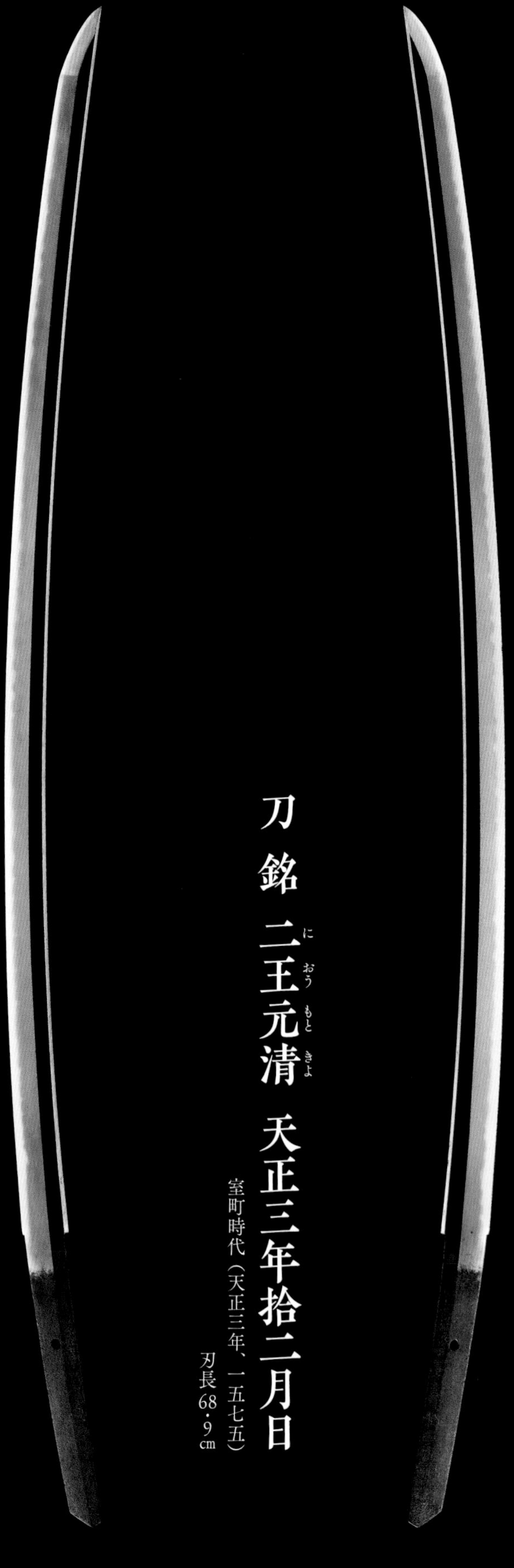

刀　銘　二《に》王《おう》元《もと》清《きよ》　天正三年拾二月日

室町時代（天正三年、一五七五）

刃長68・9㎝

降《こう》魔《ま》剣《けん》
鎌倉時代
刃長44・9㎝

脇指　銘　豊《ほう》州《しゅう》高《たか》田《だ》住《じゅう》久《ひさ》盛《もり》作《さく》

室町時代後期

刃長51・8cm

刀　銘　備《び》州《しゅう》長《おさ》船《ふね》則《のり》光《みつ》

寛正三年八月日

室町時代（寛正三年、一四六二）

刃長61・8cm

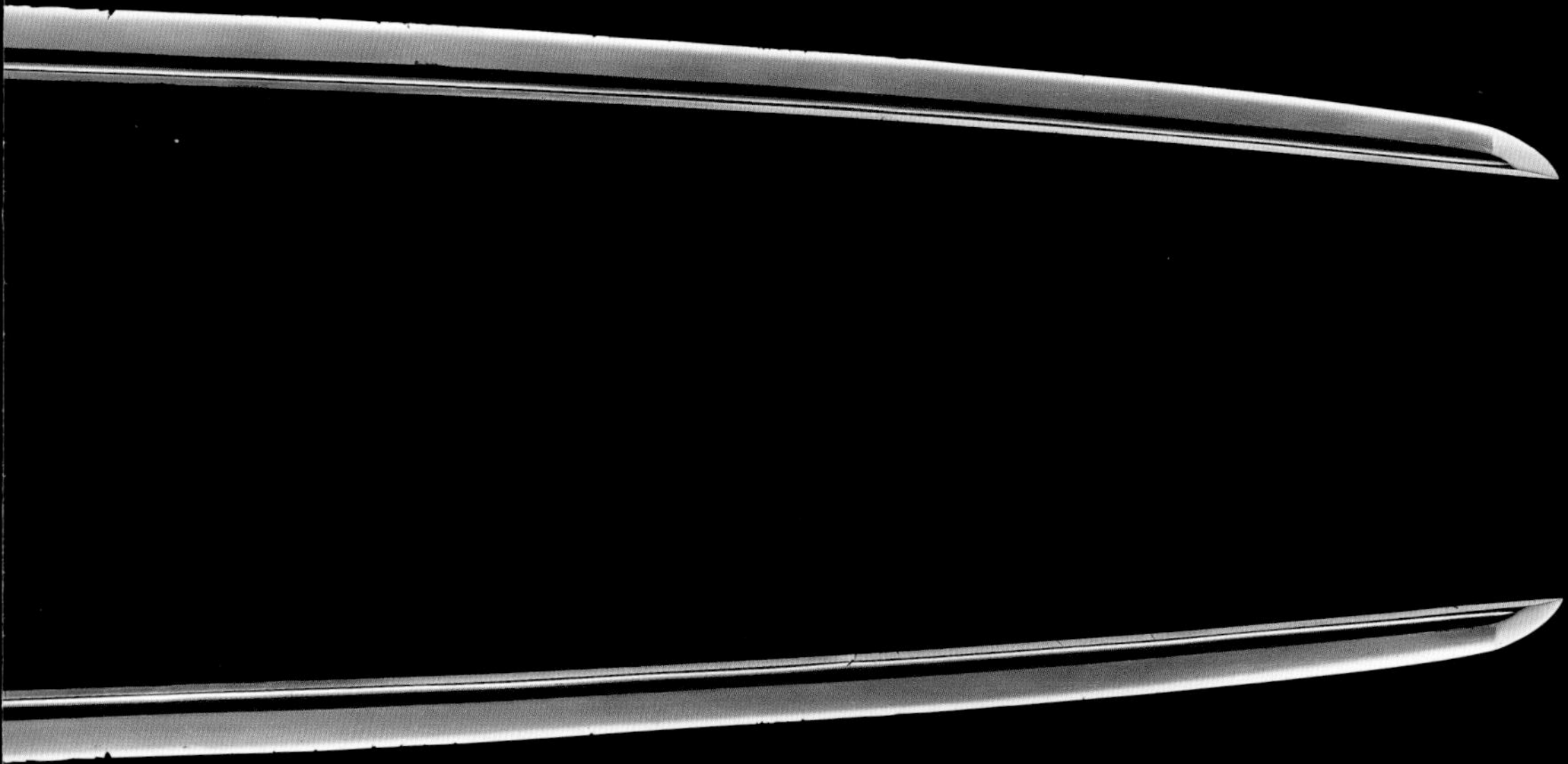

太刀　朱銘《しゅめい》　ももかち
（大和《やまと》千《せん》手《じゅ》院《いん》）

鎌倉時代
刃長83・8cm

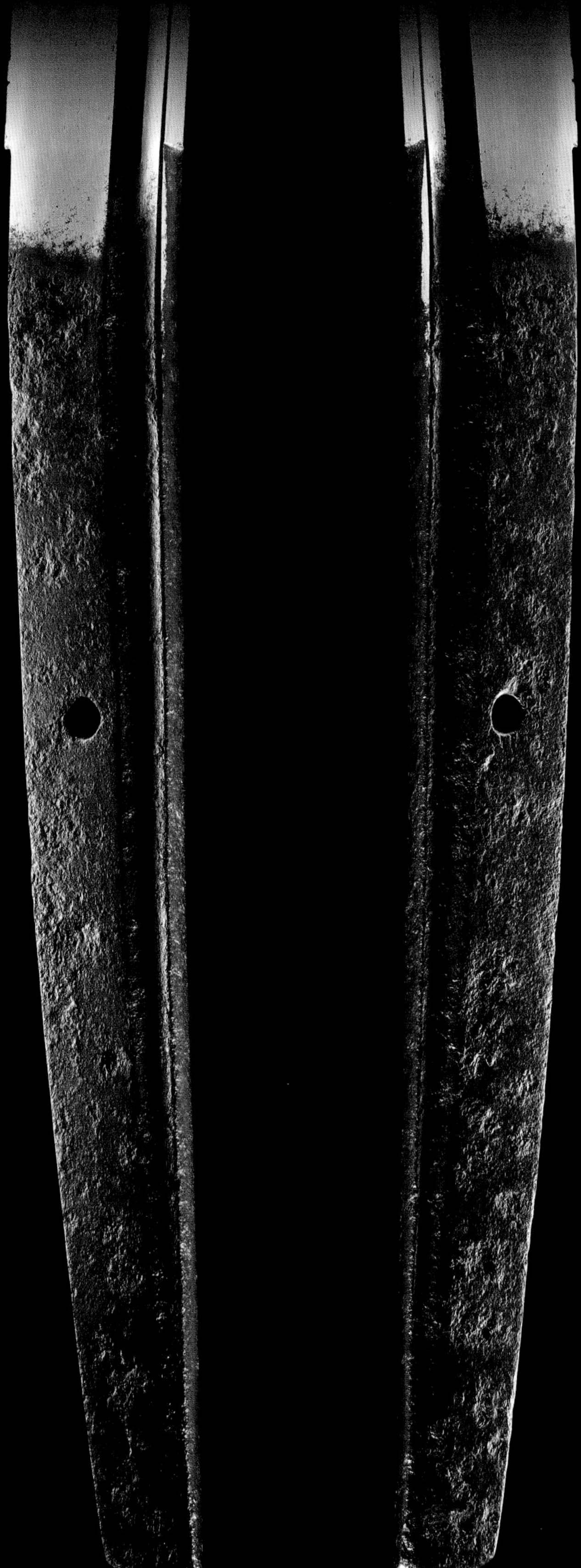

太刀　朱銘　ももかち

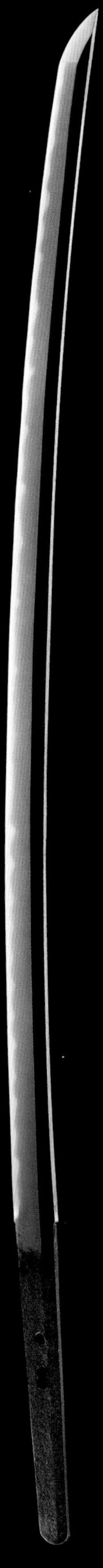

刀 銘 相模《さがみ》国《こく》住《じゅう》寿《じゅ》命《みょう》

江戸時代

刃長69・8cm

短刀 銘 助《すけ》貞《さだ》

室町時代
刃長22・4cm

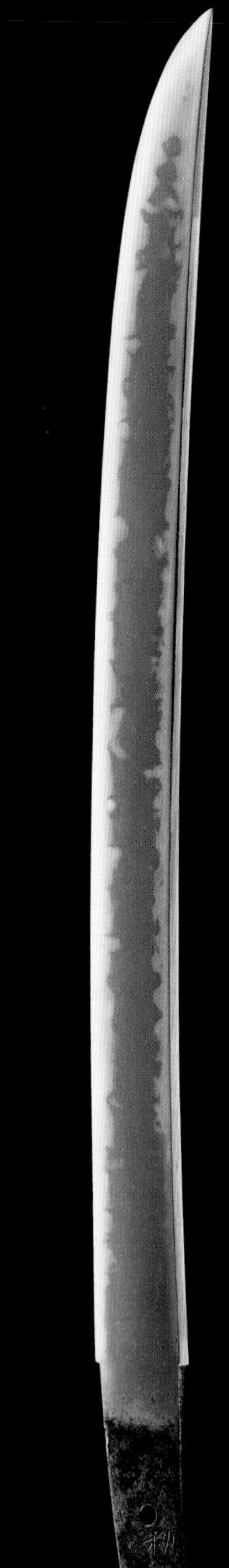

脇指 銘 秋《あき》広《ひろ》

室町時代後期

刃長39・2㎝

脇指　銘　備州《びしゆう》長《おさ》船《ふね》法《のり》光《みつ》作《さく》

宝徳二年八月日

室町時代（宝徳二年、一四五二）

刃長38・8㎝

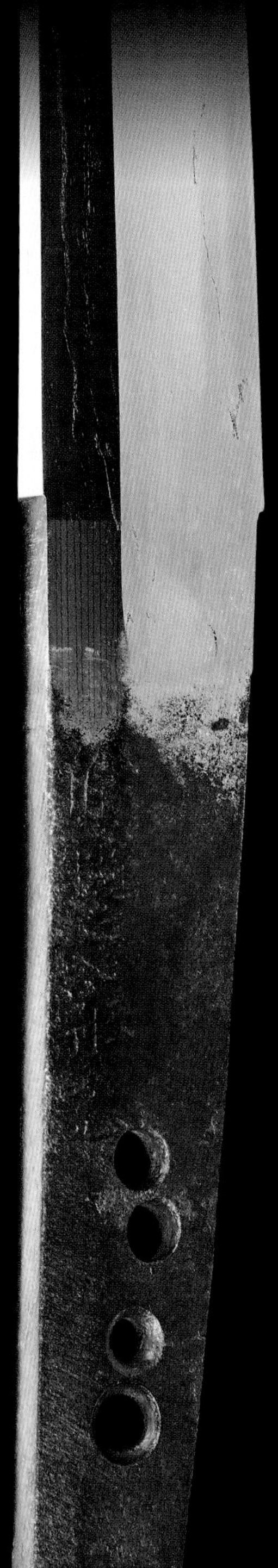

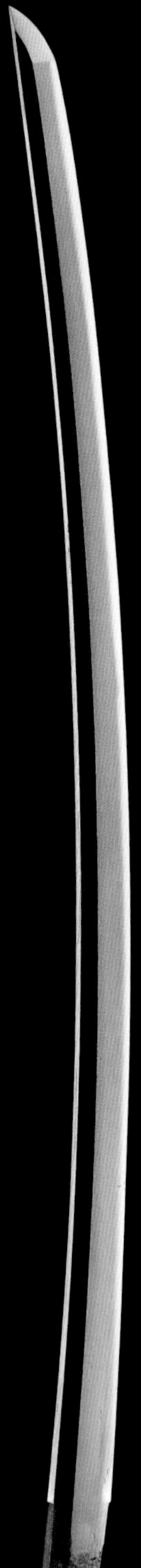

小太刀　銘　備《び》州《しゅう》長《おさ》船《ふね》元《もと》

（以下切）

南北朝時代

刃長54・4㎝

脇指　銘　豊州《ほうしゅう》高田《たかだ》住《じゅう》藤原《ふじわら》行長《ゆきなが》

江戸時代
刃長54・6㎝

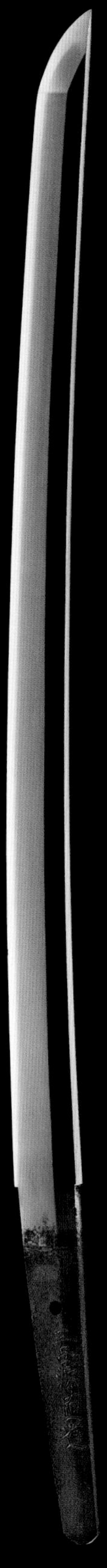

脇指　銘　菊紋　伊《い》賀守《がのかみ》藤《ふじ》原《わら》金《きん》道《みち》

江戸時代
刃長56・6㎝

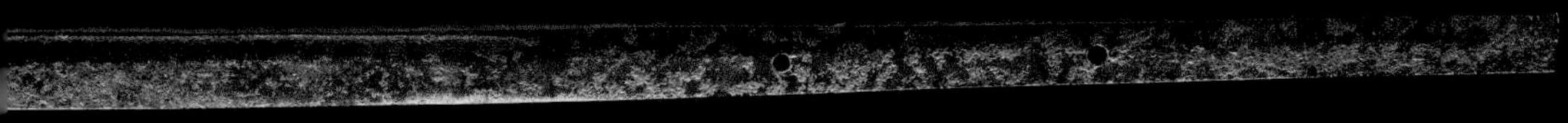

薙刀

室町時代
刃長48・6cm

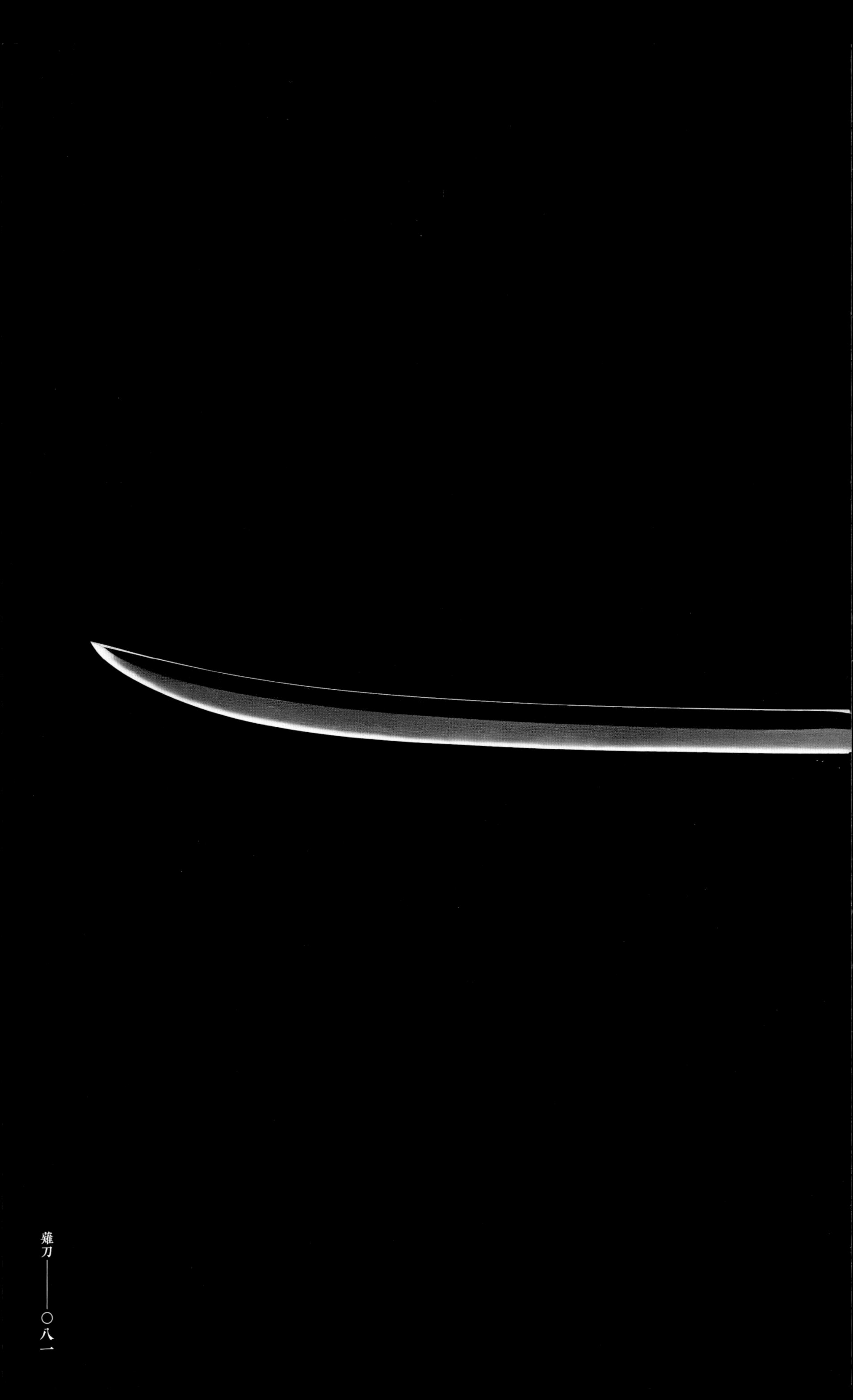

刀　銘　大《おお》平《ひら》藤《ふじ》幸《ゆき》員《かず》

万延元年八月日

江戸時代（万延元年、一八六〇）

刀長76・2cm

太刀　銘　相模《さがみ》国《こく》住《じゆう》人《にん》於鶴岡《つるがおかにおいて》綱《つな》広《ひろ》造之《これをつくる》

慶長七年二月吉日

安土桃山時代（慶長七年、一六〇二）

刃長71・4㎝

大太刀 銘
鎌倉鶴岡八幡宮寄進者也
本多《ほんだ》弥《や》八郎《はちろう》正信《まさのぶ》
〔伝二《に》代《だい》綱《つな》広《ひろ》〕
安土桃山時代（天正二十年、一五九二）
刃長134・4cm

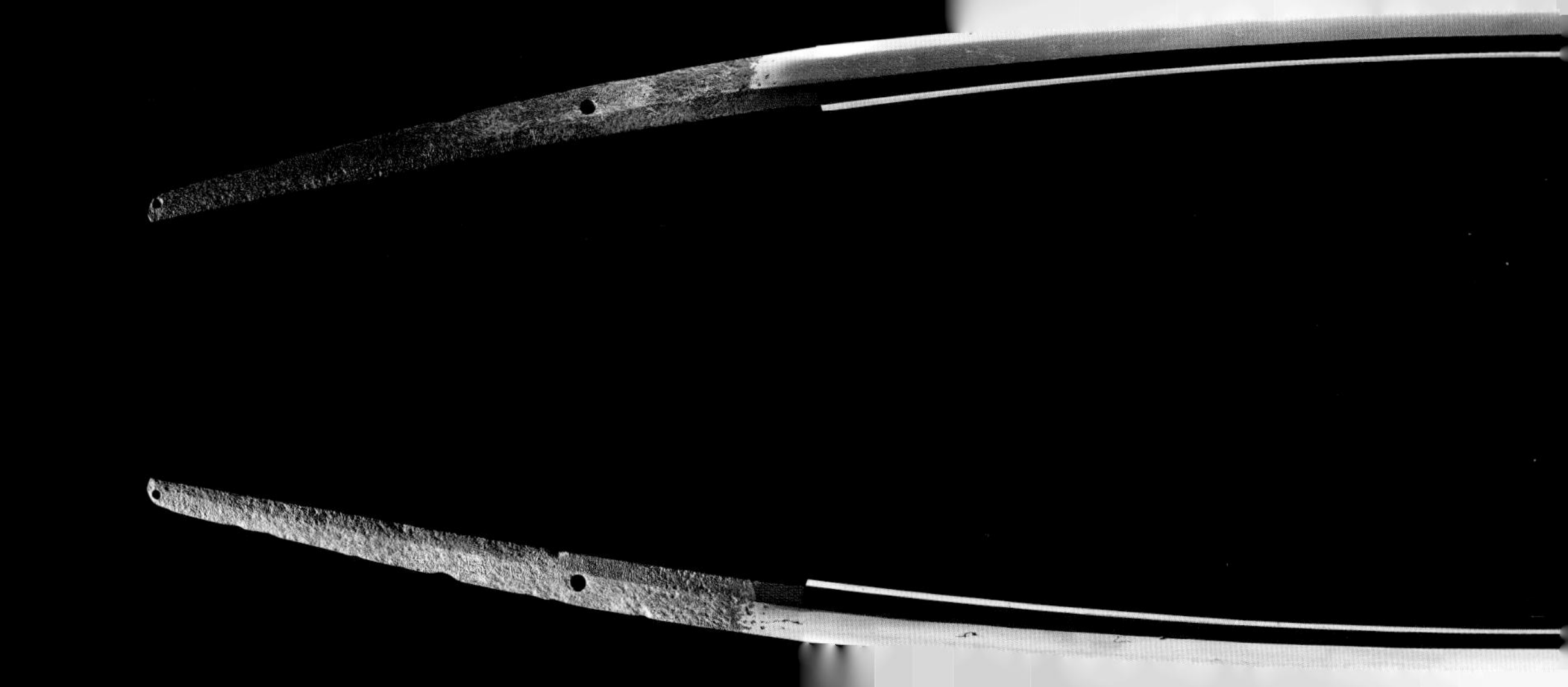

大太刀〔伝二代綱広〕

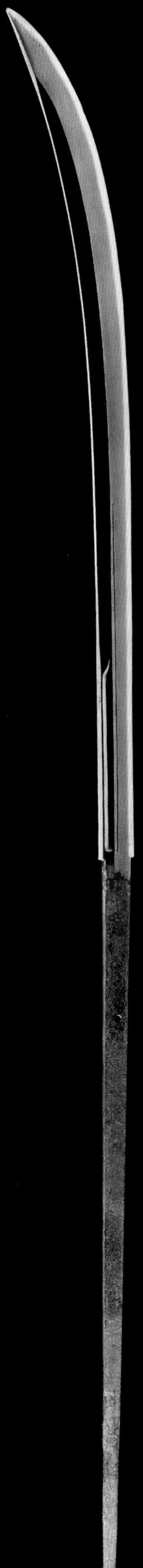

薙刀　銘　武《ぶ》州《しゅう》住《じゅう》藤《ふじ》原《わら》兼《かね》永《なが》

明暦元年五月吉日治詣

江戸時代（明暦元年、一六五五）

刃長75・2㎝

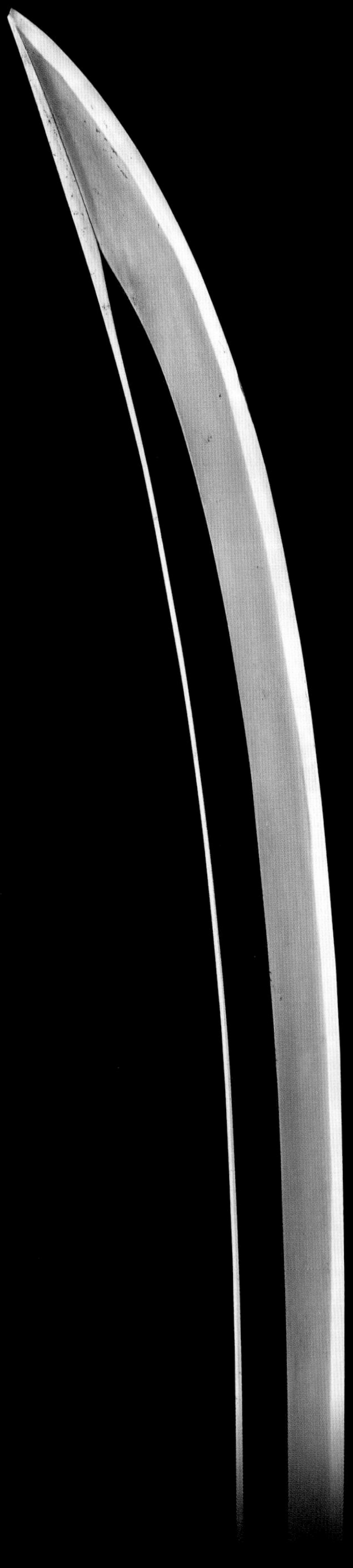

薙刀　銘　武州住藤原兼永

薙刀　銘　備《び》州《しゆう》長《おさ》船《ふね》祐《すけ》定《さだ》作《さく》

安土桃山時代
刃長23・6㎝

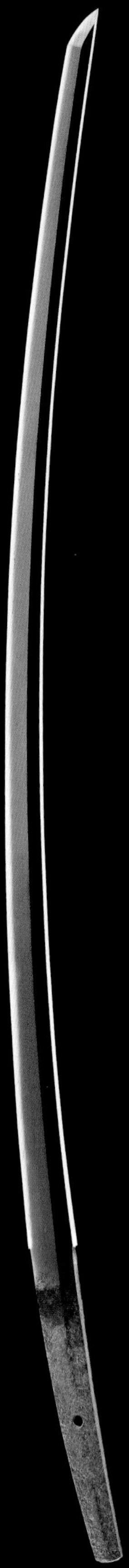

刀　銘　宗《むね》近《ちか》

室町時代

刃長66・2cm

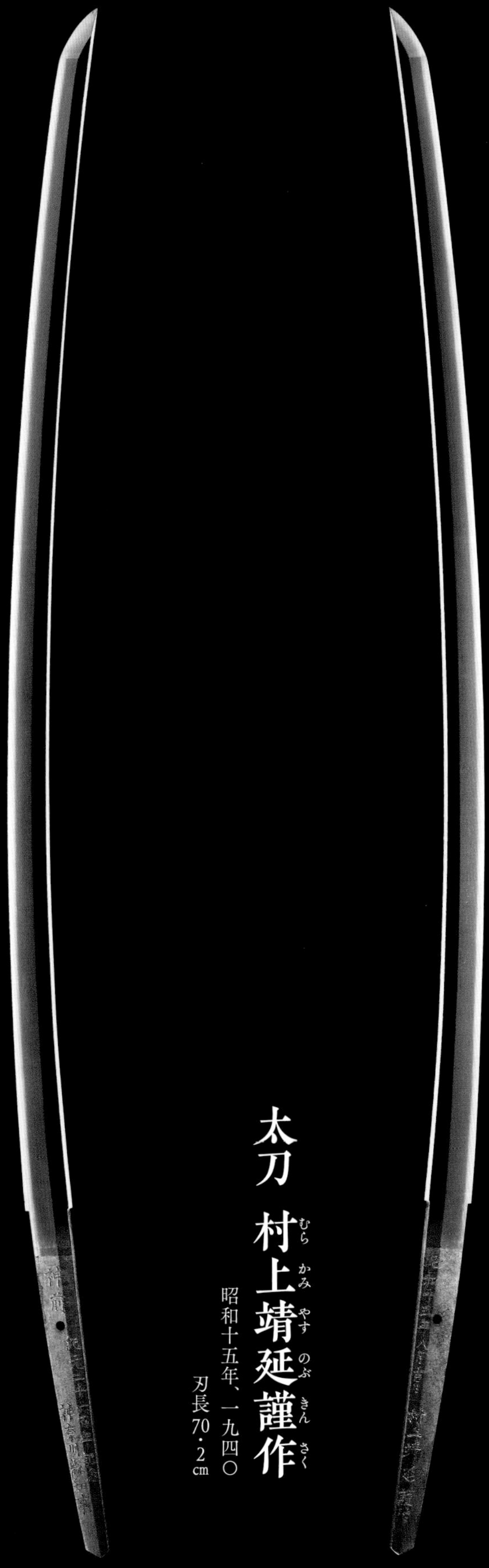

太刀　村《むら》上《かみ》靖《やす》延《のぶ》謹《きん》作《さく》

昭和十五年、一九四〇
刃長70・2cm

神宝の部

扁《へん》額《がく》銘《めい》文《もん》書《じょ》
「八《はち》幡《まん》宮《ぐう》寺《じ》」
江戸時代
(寛永六年、一六二九)
横101.5cm
横55cm

伝
源頼《みなもとのより》朝《とも》坐《ざ》像《ぞう》（複製）
鎌倉時代
像高70・6㎝

源《みなもとの》頼《より》義《よし》坐《ざ》像《ぞう》

室町時代

像高51・4㎝

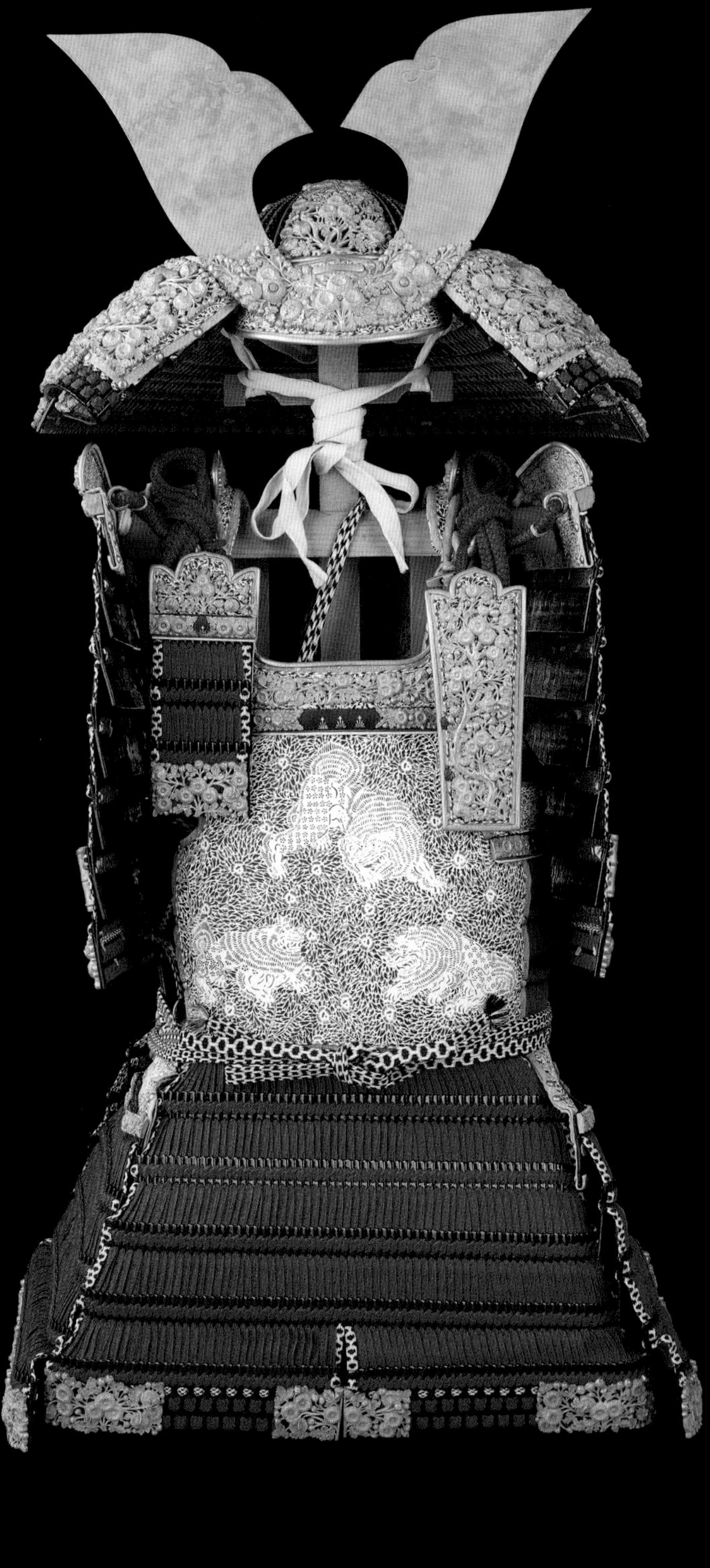

赤《あか》絲《いと》威《おどし》菊《きく》金《かな》物《もの》付《つき》大鎧《おおよろい》

（複製）　鎌倉時代　兜鉢高11・5㎝、前胴丈33・3㎝、前草摺丈30・3㎝

紺《こん》糸《いと》威《おどし》四《よん》所《しょ》栓《せん》挿《そう》胴《どう》丸《まる》鎧《よろい》

戦国時代　兜鉢高12・5㎝、前胴丈41㎝、前草摺丈35㎝

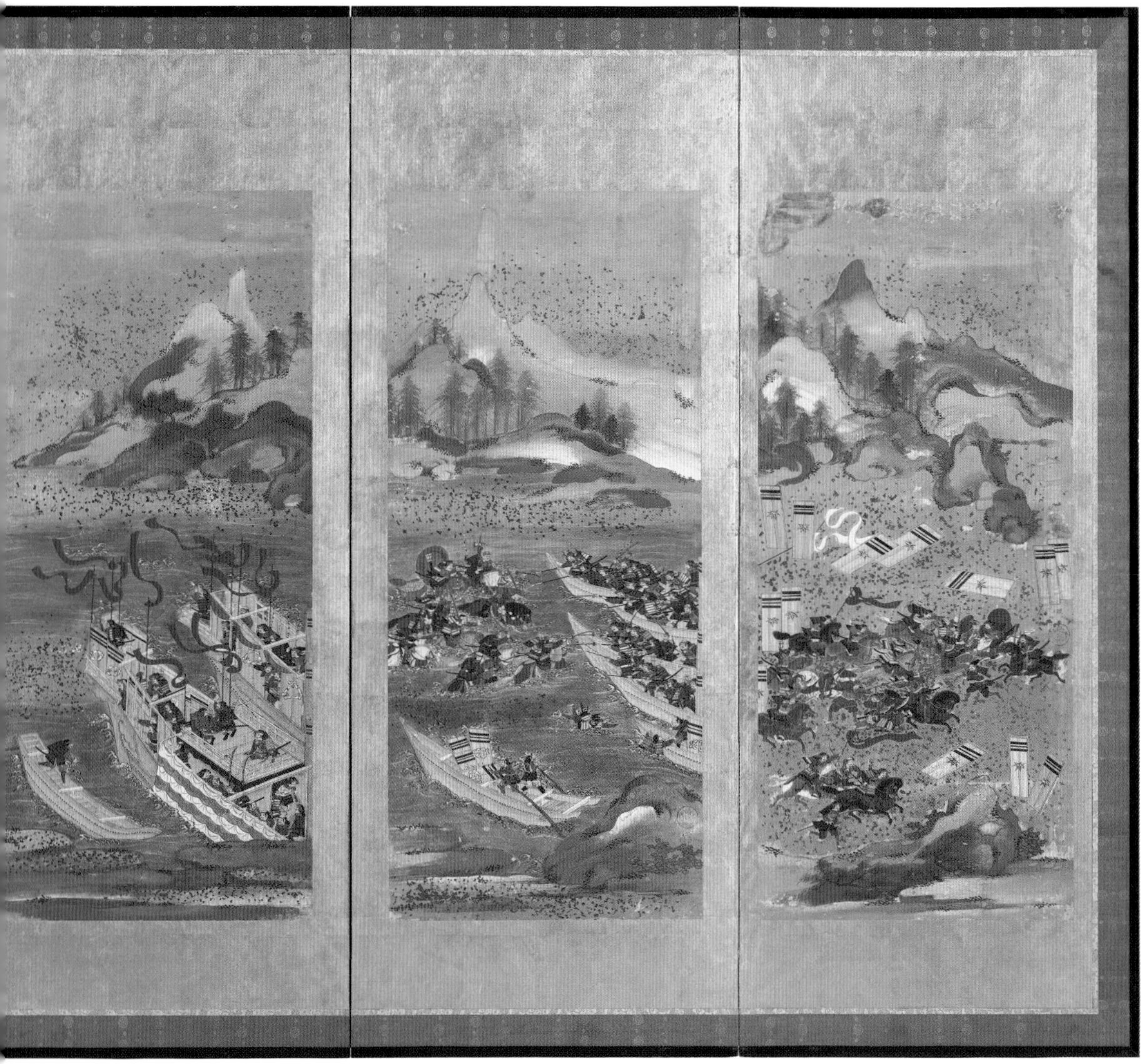

源《げん》平《ぺい》合《かっ》戦《せん》図《ず》屏《びょう》風《ぶ》

江戸時代
六曲一双
紙本着色
各隻縦168cm
横386・2cm

籬《まがき》菊《きく》螺《ら》鈿《でん》蒔《まき》絵《え》硯《すずり》箱《ばこ》

鎌倉時代

縦26㎝、横24・1㎝、高5・5㎝

国宝

源《みなもとの》頼《より》朝《とも》像《ぞう》

（複製）鎌倉時代　絹本着色

縦１４５cm、横88・５cm

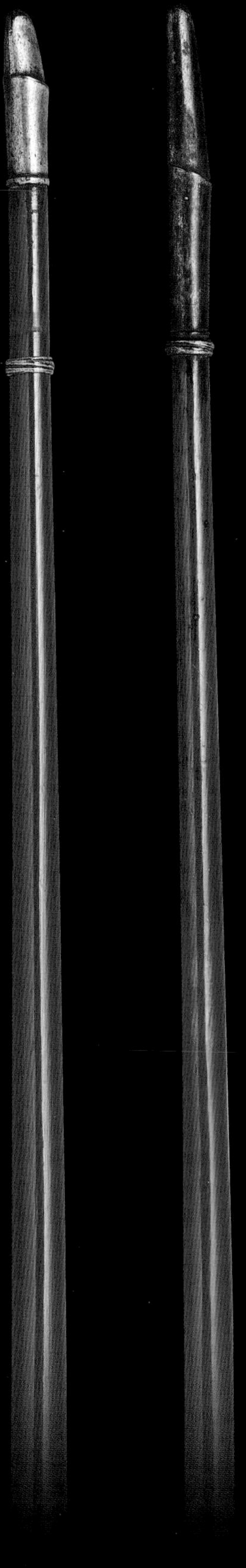

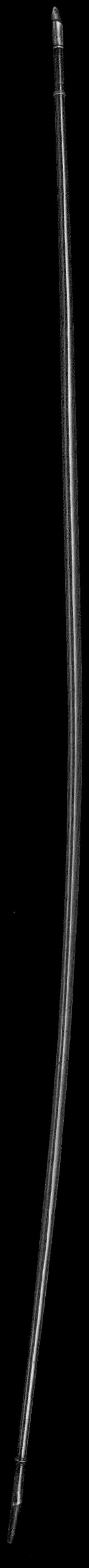

国宝

朱漆弓《しゅうるしのゆみ》

平安時代

長195・5cm

径1・8cm

国宝

沃《い》懸《かけ》地《じ》杏《ぎょう》葉《よう》螺《ら》鈿《でん》平《ひら》胡《やな》籙《ぐい》

鎌倉時代

背板高32・4cm

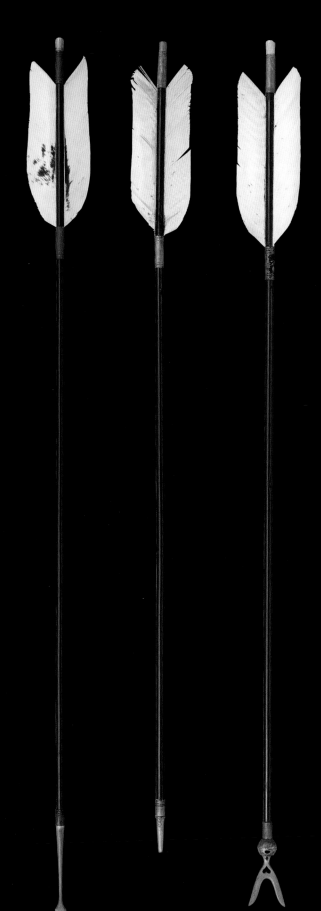

国宝

黒《くろ》漆《うるし》矢《のや》

平安時代

総長74～84・2㎝

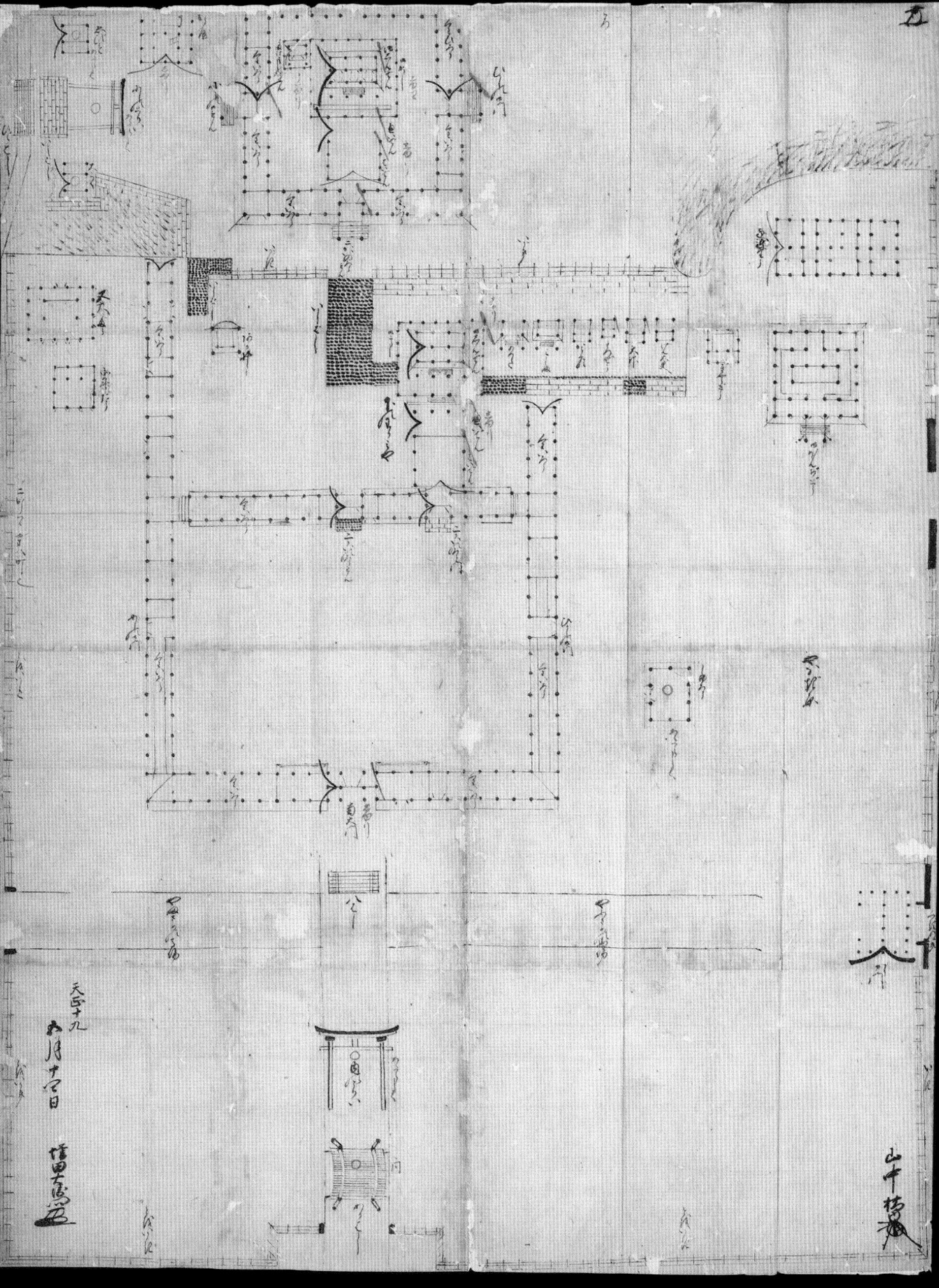

重文

鶴岡《つるがおか》八幡《はちまん》宮《ぐう》修《しゅう》営《えい》目論見《もくろみ》絵《え》図《ず》

室町時代

（天正十九年、一五九一）

縦137・5cm

横105・4cm

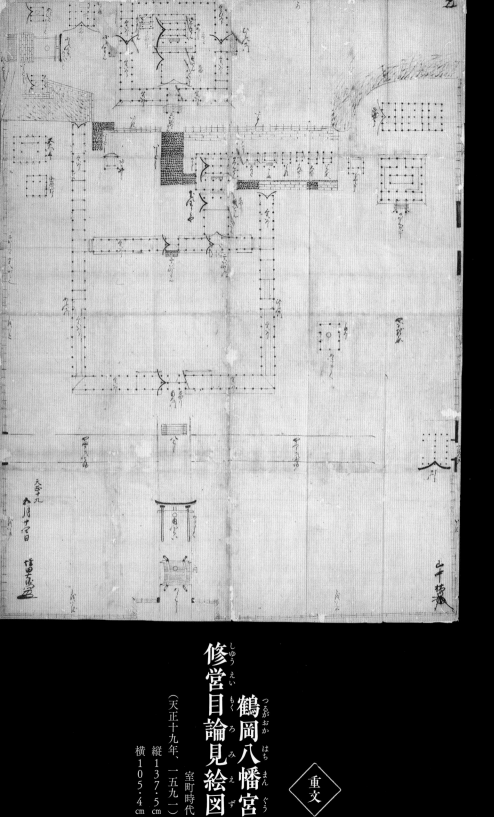

重文

蘭《らん》陵《りょう》王《おう》面《めん》

鎌倉時代

面長33・3㎝

重文

（右）散《さん》手《じゆ》面《めん》
面長24・3cm

（左上）貴《き》徳《とく》番《ばん》子《こ》面《めん》
面長23・4cm

（左下）貴《き》徳《とく》鯉《こい》口《ぐち》面《めん》
面長25・5cm
すべて鎌倉時代

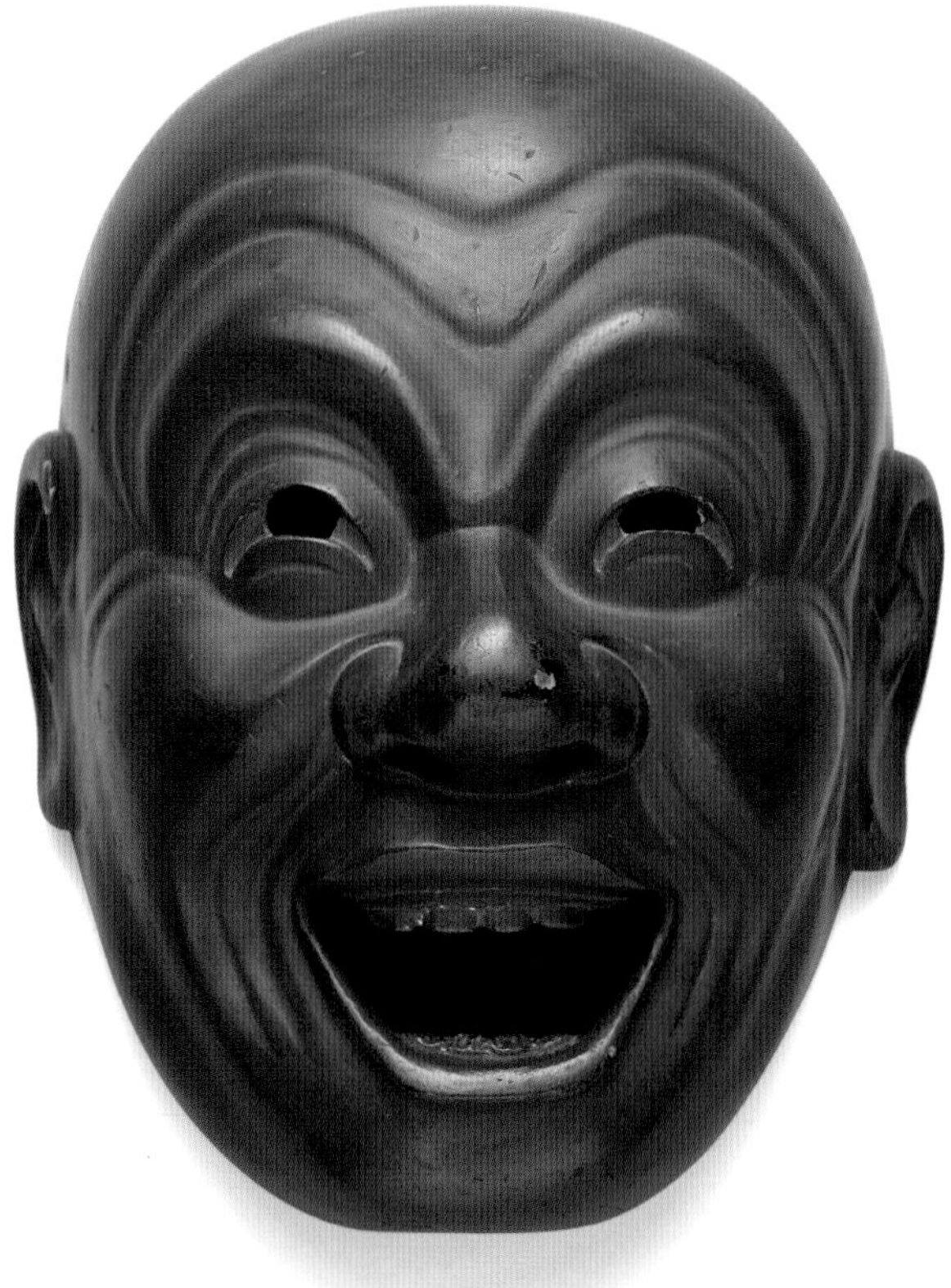

重文

二《に》ノ《の》舞《まい》面《めん》
鎌倉時代
面長30・9㎝

重文

菩《ぼ》薩《さつ》面《めん》
鎌倉時代
面長23・2㎝

論考

歴史と生きる鶴岡八幡宮の刀剣

本阿彌光次

千数百年の歴史を持つ日本刀は完全に武器を超越し、鉄の最高の芸術品として世界に誇る文化財である。明治時代の神仏分離令により、仏像、仏画、軸物等は寺宝として寺に、武具、甲冑、刀剣等は社宝として神社で管理保管することになった。

武家の古都である鎌倉においては、ここ鶴岡八幡宮に国宝二口、重要文化財五口を含む約八十振の刀剣類が現存している。御創建八〇〇年の際には、鶴岡八幡宮の直会殿《なおらいでん》に於いて五十振程度の刀剣が展示一般公開されたことがあるが、当時は拝鑑する機会がなかった。

このたび、鎌倉文華館 鶴岡ミュージアムにて刀剣展が開催されることは大変喜ばしい限りである。鶴岡八幡宮の氏子総代であった私の父、本阿彌宗景《ほんあみむねかげ》と共に社宝の刀剣管理に携わり続け、今日に至っている。この機会に主だった刀剣を紹介したいと思う。

武家の守護神たる八幡宮への崇敬のかたち「奉納刀」

江戸時代後期に松平定信らが編纂した『集古十種』に掲載されている「沃懸地杏葉螺鈿太刀」(国宝)

〔10～17頁〕は、多少大きさに違いがあるが、二口共に同作であり、江戸幕府編纂の地誌『新編相模国風土記稿』には「二振は衛府太刀《えふのたち》、頼朝の帯せし物と云ふ」と伝えている。鎌倉初期の最高位の武人が佩帯《はいたい》する太刀のかたちを示すものとして貴重な史料であり、源氏の氏神としての鶴岡八幡宮にふさわしい神宝である。

歴代徳川将軍が奉納したと思われるが、今日では八代将軍徳川吉宗奉納「太刀 銘 正恒」（国宝）〔18～23頁〕、九代将軍徳川家重奉納「太刀 銘 長光」（重要文化財）〔26～27頁〕、十代将軍徳川家治奉納「太刀 銘 国村」〔38～41頁〕、十一代将軍徳川家斉奉納「刀 銘 播磨大掾藤原忠国」〔42～45頁〕があり、いずれも総金具《そうかなぐ》は赤銅魚子地金菊花高彫紋散《しゃくどうななこじきんきっかたかぼりもんちらし》、鞘《さや》は梨地菊花金蒔絵《なしじきっかきんまきえ》の立派な糸巻太刀拵がついている。また、明治天皇が御寄進された「太刀 金象嵌 銘 国吉」（重要文化財）〔24～25頁〕は同じく見事な糸巻太刀拵がついている。

後北条家二代北条氏綱は鶴岡八幡宮に鎌倉を平定した戦勝祝いとして、「綱広」「綱家」「康国」の三振の太刀（すべて重要文化財）〔28～41頁〕を奉納している。

永正、天文ごろ、相州鍛冶の総領株であった関係で氏綱が正広に命じ、作刀させたものと思われる。『古今鍛冶備考』（一八三五年）、『古刀銘集録』（一九四四年）によると、この恩賞として正広は氏綱により一字授けられ綱広と改銘したという。共に黒地金蒔絵、桐鳳凰《きりほうおう》模様の太刀拵がついており、大変貴重な資料である。

社伝の「相模国住人於鶴岡綱広造之、慶長七年二月吉日」と銘のある太刀〔83頁〕は、従来の銘振りと違い研究の余地もあるものの、皆焼[1]の出来は見事である。

「慶長九年津軽為信、此の名声を聞き遥々使者を下して津軽に招請し、食禄を給わして大小三百腰を三年後首尾よく皆打ち上げたという。帰国の際、黄金三百枚と鞍置、馬一頭を報酬とした」とある。

剣二振、いずれも無銘であるが、茎《なかご》の状態古く「伝天国」〔59頁〕および「降魔剣」〔65頁〕として伝来している。梵字を挟み、棒樋《ぼうひ》に添樋、倶利伽羅《くりから》の彫のある「短刀 銘 信国」〔61頁〕や、「笹穂槍 銘 兼常」

1――皆焼《ひたつら》
刃の部分だけでなく、刀身全体に飛焼《とびやき》がかかる刃文

〔48頁〕、「刀 銘 兼氏」〔49頁〕、「刀 銘 兼春」〔62頁〕、「刀 無銘 伝兼元」、天正年紀の「刀 銘 二王元清」〔64頁〕などがある。また備前刀では、「刀 無銘 伝備前国秀光」〔52頁〕、「刀 銘 備州長船則光」寛正年紀〔67頁〕、「短刀 銘 備前国住長船孫右衛門尉清光」永禄年紀〔56〜57頁〕、「短刀 銘 備州長船法光」永□年紀〔60頁〕、および「脇指 銘 備州長船法光作」宝徳年紀〔75頁〕、なども収蔵されている。

刀剣にまつわる物語

鶴岡八幡宮には、生ぶ茎無銘[2]、表裏棒樋掻き通し[3]小鋒で腰反りの強い太刀がある。社伝によると鎌倉期の大和千手院と記してあり、号「ももかち」とある〔68〜71頁〕。仔細に見るも朱銘の痕跡あるものの判読できず、この「ももかち」は意味を解するのに苦慮した。百戦百勝という意味かもしれない。刃先に遺された多数の切り込み疵〔70頁〕から、戦いの激しさを感じとることができる。これ程の打ち疵のある太刀も大変珍しい。昔から歴史を重んじるためか、「切り込み千両」といわれ、珍重されている。

阿蘇神社社宝として『集古十種』に所載されている「太刀 銘 来国俊《らいくにとし》 永仁五年三月一日」（号「蛍丸《ほたるまる》」）は、残念ながら戦後行方不明となり今日に至る。来国俊在銘で阿蘇大宮司である南朝方武将、阿蘇《あそ》惟澄《これずみ》の太刀には語り継がれる逸話がある。惟澄は多々良浜の戦いでこの太刀を振るい菊池武敏と共に戦ったが敗れ、太刀には鋸のように多くの刃こぼれができた。この激戦で疲れた惟澄は太刀を壁に立てかけたまま居眠りをしてしまう。太刀の刃こぼれに群がる無数の蛍の夢をみて目が覚めると、刃こぼれした部分が完全に元の刀身に戻っていたと伝えている。

鶴岡八幡宮伝来の「太刀 朱銘 ももかち」を腰に佩《は》き、どのような武将がどのような戦いに挑んだのかはわからないが、「蛍丸」と同様に歴史の重みを感じ取ることができる。

2——生《う》ぶ茎《なかご》
刀工が造ったままの茎姿。後世に磨り上げたものを「磨上げ茎」という。

3——掻《か》き通し
樋の下端部が茎尻《なかごじり》まで貫かれたもの。

「銘 駿州島田源義助」の槍が三口ある〔46頁〕。社伝によれば、徳川将軍家奉納とある。このほかに、「銘 与州松山住下坂作」〔47頁〕、「銘 河内守藤原国助」〔51頁〕、「銘 平安城住下坂」〔53頁〕の槍、「片鎌槍 銘 山城守国重」宝永年紀〔50頁〕のほか、「明暦元年五月吉日、武州住藤原兼永」と銘のある二尺五寸の大薙刀〔88頁〕も存在する。

鋒の延びた初代「銘 和泉守藤原国貞」〔58頁〕、「銘 三品源直道」〔78頁〕、「銘 豊州高田住藤原行長」〔77頁〕、日本鍛冶惣匠「銘 伊賀守藤原金道」〔79頁〕などの脇指は新刀期のものである。

『相中留恩記略』（福原高峰著、一九六七年）に所載の、長さ四尺四寸三分の大太刀は、文禄元年（一五九二）名護屋御陣のころ、徳川家康の重臣である本多《ほんだ》弥《や》八郎《はちろう》正信《まさのぶ》殿奉納品と伝わる。刀匠銘はないが切付銘に「相州鎌倉鶴岡八幡宮奉寄進者也 本多弥八郎正信 天正廿年壬辰八月十五日敬白 大納言《だいなごん》家康《いえやす》卿《きょう》武《ぶ》運長久《うんちょうきゅう》 殊者《ことには》今度《このたび》唐入《からいり》早速《さっそく》御《ご》開陣《かいじん》 丹誠《たんせい》旨趣《ししゅ》仍《よって》如《くだんの》件《ごとし》」とある。

『新編相模国風土記稿』によると、寄進者本多弥八郎正信は徳川家康の重臣であり天正十八年（一五九〇）相模甘縄で一万石、下野国で三万石を禄下したといわれる。同年一月十四日家康正室の旭姫没し、七月十三日豊臣秀吉関東八国を家康に付与、八月一日に家康江戸城に入った。翌、天正十九年秀吉「唐入」強行を来春と決め、天下に告げる。十月、加藤清正らを奉行とする肥前国名護屋城の築城に着手。文禄元年（天正廿年）五月「唐入」出陣命令。このとき家康は名護屋城に在陣。安土桃山〜江戸時代前期の儒学者小瀬甫庵が著した『甫庵太閤記』によれば、十万余名の頭として活躍していた小西行長以下、朝鮮派遣軍三万五五七〇人とある。

四月十二日進撃開始、暁釜山《プサン》陥落。五月三日小西行長、加藤清三が城入り。家康は朝鮮には渡らなかった。

正信は家康の身を案じ、大納言家康卿の武運長久を願いこの太刀を鶴岡八幡宮に奉納した。刀匠銘はないが、安土桃山時代、相州二代綱広作と伝えられる。残念ながら、文政年間に鶴岡八幡宮の一隅が火災に遭い、焼け身となるも、現代刀匠により再刃され見事に復元された〔84〜87頁〕。

近年では「銘 大平藤幸員」万延元年（一八六〇）八月年紀のある出来の良い刀〔82頁〕が、愛刀家であるアメリカ人武道家により奉納されている。

資料編

作品解説

凡例

・作品データは、作品番号、図版掲載ページ、文化財の種別、作品名、制作年代、寸法、伝来の順で記載した。
・作品名は、種別、銘の順に記し、無銘伝承は〔 〕内に記した。
・銘のうち欠けた地や判読できない字は「□」とした。
・刀剣の寸法における「刃長」は鋒（切先）から区元までの長さを指す。
・刀剣解説は本阿彌光次氏によるもので、刀剣鑑賞の専門的な用語や表現の醍醐味がそのまま著されている。
・一般読者のために、鑑賞表現の一例を挙げて文末に説明を添え、刀剣用語（＊印）については用語解説（一三一～一三二頁）を設けた。
・神宝解説は鎌倉文華館 鶴岡ミュージアムによる。

刀剣の部

1＋2　一〇～一七頁

国宝

沃懸地《いかけじ》杏葉《ぎょうよう》螺鈿《らでん》太刀
無銘〔衛府《えふ》の太刀〕甲、乙

拵
鎌倉時代
刃長74・4cm（甲）、75・8cm（乙）
伝 源頼朝寄進

一般に「衛府の太刀」という名でよく知られる、沃懸地杏葉螺鈿太刀拵は二口ある。同作であるが、多少大小があり鞘尾にやや異なりを見る。刀身は共に無銘、鎬《しのぎ》造り*、幅広く重ね厚め、腰反り強く踏張りがあり、刃区《はまち》*の大変深い太刀である。刃文*は中直刃《ちゅうすぐは》*にのたれ*ごころ*あり、小沸《こにえ》*よくつき、匂口*やや締る。帽子*は先にいくほど焼幅深く丸く返る。

柄には銀薄板を鮫皮状に打ち出した銀出鮫を着せ、四つ花形の目貫をすえ、佩表には俵鋲、佩裏には小桜鋲をそれぞれ四個打っている。これら目貫や鋲をはじめとした金具類はいずれも金銅無文である。帯取、佩緒《はきお》、手抜緒《てぬきお》などは、細かい菊文白抜きの紅韋《べにがわ》*をもって後補している。鞘は金沃懸地に杏葉文を螺鈿にて三個あて三間に配置している。『集古十種』『新編相模国風土記稿』などに記載され、「頼朝の帯せし物と云ふ」とも伝えられる。鎌倉初期の最高位の武人が佩《はい》帯《たい》する太刀の形式を示すものとして貴重な資料である。

▽のたれごころあり
刃文の雰囲気がゆったりとした波状の形態であること

3　一八～二三頁

国宝

太刀　銘　正恒《まさつね》

拵
鎌倉時代
刃長78・1cm
徳川吉宗奉納

造込み*はその時代性を表し、鎬《しのぎ》造り*は反り高く踏張りあり、肉置き*良く、小鋒で総じて品格がある。地鉄《じがね》*は小杢目肌*地沸《じにえ》*細かく、地景*働き、黒映り鮮明に立つ。刃文*は直刃*仕立の小丁子、足入り*、刃中葉*働き*見事である。この正恒は古来青江と伝えられるもので、地班《じふ》*紋調の黒映りあり、刃文も小沸《こにえ》*がちのため古備前と比較対照すれば青江妹尾の正恒と思科される。本刀は現存する古青江の正恒の中でも、最も健全なる傑作として有名であり、保存状態も極めて良好である。総金具《そうかなぐ》は赤銅《しやくどう》魚子《ななこ》地《じ》金《きん》菊花《きつか》高彫《たかぼり》紋散《もんちらし》、鞘《さや》は梨地《なしじ》菊花《きつか》金《きん》蒔絵《まきえ》の立派な糸巻太刀拵がついている。元文元年（一七三六）徳川八代将軍吉宗奉納。

▽小丁子、足入り、刃中葉働き見事
小さな丁子乱れ、足（長い線）や葉（刃中匂の塊）がよく入っている様
▽地班紋調の黒映りあり
地鉄に親指の腹を押したような模様が黒く浮かぶ様

4
二四〜二五頁

重要文化財

太刀　金象嵌《きんぞうがん》　銘　國吉《くによし》

拵
鎌倉時代
刃長69・7cm
明治天皇御寄進

大磨上《おおすりあ》げ*無銘の茎《なかご》*に国吉と金象嵌銘がある。身幅尋常、平肉たっぷりとしており、地鉄《じがね》*強く、小板目よくつみ小沸《こにえ》*がつく。刃文*は中直刃《ちゆうすぐは》*調に小丁子交じる。葉*、足入り*刃中沸えて、金筋入り二重刃風となる。帽子*は直ぐに入り、小丸にわずかに返る。

鎌倉初期から中期にわたり、山城粟田口派の刀工が盛名をとどろかせたが、國吉もその一派にあたり、左兵衛尉《さひようえのじよう》と称した。弟には、かの有名な藤四郎吉光がいる。太刀の現存するものは少ない。剣又は短刀等は、刃文*小沸《こにえ》*出来、二重刃を交える作風が多い。総金具《そうかなぐ》は赤銅《しやくどう》魚子《ななこ》地《じ》金《きん》菊花《きつか》高彫《たかぼり》紋散《もんちらし》、鞘《さや》は梨地《なしじ》菊花《きつか》金蒔絵《きんまきえ》の立派な糸巻太刀拵がついている。明治天皇御寄進。

▽大磨上げ無銘の茎
刀身を切り縮めて銘がなくなるほど短くした茎
▽帽子は直ぐに入り、小丸にわずかに返る
鋒に現れる刃文が真っ直ぐに入り、浅くえん曲し棟側に返っている様

5
二六〜二七頁

重要文化財

太刀　銘　長光《ながみつ》

拵
鎌倉時代後期
刃長70・3cm
徳川家重奉納

日本刀の華実兼備を誇る鎌倉時代の作である。鎬《しのぎ》造り*、重ね厚く、元先の幅差がついて小鋒、磨《すり》上《あ》*げてあるが雄健な姿で、茎《なかご》*先にやや大振りの二字銘がある。地鉄《じがね》*は小板目細かくつみ地沸《じにえ》*厚く、華やかに乱れ映り立つ。刃文*は丁子乱れ、元*と先は焼低く、中程はかなり高く丁子乱れが処々重《じゆう》花《か》風となり、よく働き*、帽子*は大丸に返る。総金具《そうかなぐ》は赤銅《しやくどう》魚子《ななこ》地《じ》金《きん》菊花《きつか》高彫《たかぼり》紋散《もんちらし》、鞘《さや》は梨《なし》地《じ》菊花《きつか》金蒔絵《きんまきえ》の立派な糸巻太刀拵がついている。備前長船光忠の子である長光の作品は古来名刀としての盛名が高く、多くの武将が好んで用いた。宝暦三年（一七五三）徳川九代将軍家重奉納。

▽重花風となり
花弁のような刃文が重なり合って見えること
▽帽子は大丸に返る
鋒に現れる刃文の返りの角度が大きい様

6
二八〜二九、三四〜三七頁

重要文化財

太刀　銘　奉納鶴岡八幡宮御宝殿
北條左京大夫平氏綱《さきようたいふたいらのうじつな》
天文七戊戌年八月二日
所願成就皆令満足《しよがんじようじゆみなまんぞくせしむ》
相州住綱広作《そうしゆうじゆうつなひろさく》

拵
室町時代（天文七年、一五三八）
刃長99・4cm

7

重要文化財

三〇～三一、三四～三七頁

太刀　銘　奉納鶴岡八幡宮御宝殿
北條左《さ》京《きょう》大《たい》夫《ふ》平氏綱《たいらのうじつな》
天文七戊戌年八月二日
所《しょ》願《がん》成《じょう》就《じゅ》皆《みな》令満足《まんぞくせしむ》
綱《つな》家《いえ》作《さく》

拵

室町時代（天文七年、一五三八）
刃長89・1cm

8

重要文化財

三二～三三、三四～三七頁

太刀　銘　奉納鶴岡八幡宮御宝殿
北條左《さ》京《きょう》大《たい》夫《ふ》平氏綱《たいらのうじつな》
天文七戊戌年八月二日
所《しょ》願《がん》成《じょう》就《じゅ》皆《みな》令満足《まんぞくせしむ》
康《やす》國《くに》作《さく》

拵

室町時代（天文七年、一五三八）
刃長102・5cm

三口とも長大なる太刀姿で、「奉納鶴岡八幡宮御宝殿、北条左京大夫平氏綱、天文七戊戌年八月二日、所願成就、皆令満足」とあり、また「相州住綱広作」「綱家作」「康国作」とそれぞれに作者も銘記されている。元幅広く重ねは頃合、平肉はややとぼしい感があるが、踏張りあり、堂々たるものである。反り高く鋒延びごころとなり、鎬《しのぎ》地に棒樋*と連樋*が彫られている。綱広、綱家の二口は、地鉄《じがね》*板目鍛に柾が交じり地沸えおおいにつきやや肌立ち気味、刃文*は末相州特有の互の目*風大乱れ刃*で飛焼*あり、刃縁に砂流し*など盛んに入る。康国は小板目よくつみ地鉄《じがね》*美しく、互の目乱れに矢筈刃《やはずば》*も交じり小沸《こにえ》*匂口*締る。

黒地金蒔絵桐鳳凰《きりほうおう》模様の太刀拵が当時のままで三口とも残っており、刀剣史上、室町期の太刀様式の拵を知る上で貴重な資料といわれる。また、綱広は正広という名であったが、この太刀献上の恩賞で氏綱の綱の字を授けられ、綱広と改名したと伝えられている。天文七年八月二日北条氏綱奉納。

9

三八～四一頁

太刀　銘　国《くに》村《むら》

拵

鎌倉時代末期
刃長69・6cm
徳川家治奉納

鎬《しのぎ》造り*、三寸程磨上《すりあ》げ*、身幅狭く腰反り、茎《なかご》*先に国村と大きく二字銘を切る。太刀姿とりわけ美しく平肉もしっかりとし、地鉄《じがね》*は小板目に杢交じり地景*入り、丁子映りが見事に立つ。刃文*は丁子乱れ*、刃縁小沸《こにえ》*よくつき、刃中までよく沸え軟らかく働き*がある。帽子*にやや難点があるも地刃共に良好。総金具《そうかなぐ》は赤銅魚子《しゃくどうななこ》地《じ》金菊花《きんきっか》高彫《たかぼり》紋散《もんちらし》、鞘《さや》は梨地《なしじ》菊花《きっか》金蒔絵《きんまきえ》の糸巻太刀拵がついている。徳川十代将軍家治奉納。

10

四二～四五頁

刀　銘　肥《ひ》前《ぜん》住《じゅう》播《はり》磨《ま》大《だい》掾《じょう》藤《ふじ》原《わら》忠《ただ》国《くに》

拵

江戸時代初期
刃長70cm
徳川家斉奉納

鎬《しのぎ》造り*、少し区《まち》*を送っているが、身幅広く肉置き*も良く、地刃共に健全で一点のゆるみもない。地鉄《じがね》*細かによくつみ美しく、ややざんぐり*としているが、杢目肌*表れ、比較的古く見える。刃文*は中直刃《ちゅうすぐは》*で刃縁小沸《こにえ》*一面につき、処々金筋入り、匂口*大変深い。帽子*はよく沸《にえ》*つき、ふくらに沿って品良く返る。

忠国は初代忠吉門広貞の子、橋本姓である。総金具《そうかなぐ》は赤銅魚子《しゃくどうななこ》地《じ》金菊花《きんきっか》高彫《たかぼり》紋散《もんちらし》、鞘《さや》は梨地《なしじ》菊花《きっか》金蒔絵《きんまきえ》の立派な糸巻太刀拵がついている。

徳川十一代将軍家斉奉納。

11　　　　四六頁

槍　銘　駿州《すんしゅう》島田《しまだ》源《みなもと》義助《よしすけ》

室町時代
刃長43・4cm

同作の槍は三口あるが、皆保存良く健全である。共に身幅広く、鍛えは板目やや荒く、肌立ち気味で、総体に柾が流れ、全体に地沸《じにえ》*がつくが、白気映り風があるものもある。刃文は飛焼*あるもの、皆焼《ひたつら》*のもの、直刃*仕立の小乱れ刃もあるが、全て刃縁がよく沸え、匂口*の深い処、二重刃を見る。義助の作品は多く、作柄も種々あり、比の一派では義助の他に助宗、広助等の作品が多く、作品中村正の様に刃縁がはっきりしない刃のねむいものもある。義助の作には薙刀もあり、時々二尺以上の大身の槍を見る。

▽板目やや荒く、肌立ち気味で、総体に柾が流れ
地鉄は板目が荒く、楕円模様の一部が流れている様

12　　　　四七頁

槍　銘　与州《よしゅう》松山《まつやま》住《じゅう》下坂《しもさか》作《さく》

江戸時代
刃長41・3cm

柾目肌*細かく、鍛割れもなく地沸《じにえ》*を一面につけ飛焼*入り、総じて肌立ち気味で白気がある。刃文は直刃*、小沸《こにえ》*がついて匂口*締る。

13　　　　四八頁

笹穂槍　銘　兼常《かねつね》

室町時代末期
刃長39・6cm

幅広く地刃共に健全、地鉄《じがね》*処々に大板目肌*表れるが、総じて柾が目立ちざんぐり*と肌立ち、白気映り立つ。刃文*は、湾《のた》れ*刃に互の目*交じり刃縁に荒沸《あらにえ》*がつき掃きかけ、砂流し*、金筋も入り刃中賑やかで働き*充分。兼常の槍としては傑作である。

関兼音の子、兼元、兼定に次ぐ末関の良工、互の目乱れ、皆焼《ひたつら》*もあるが、直刃*が得意である。

14　　　　四九頁

刀　銘　兼氏《かねうじ》

室町時代
刃長71・9cm

鎬《しのぎ》造り*、生《う》ぶ茎《なかご》*、身幅広め重ね厚く肉置き*良好、踏張りあり堂々たる姿をしている。板目肌*よくつみ、刃縁は柾となり、白気映り出る。刃文*は互の目乱れ*に尖り刃交じり、沸《にえ》*美しくつき処々に荒沸*もつく。刃中金筋、砂流し*かかり、地に向かって働きかけ、帽子*は延びかげんで沸強く掃きかけ、乱れ込んで返る。

初祖兼氏は本国大和初銘包氏、志津三郎兼氏と称した。世に大志津という。反り浅く鎬《しのぎ》*幅狭く、重ね薄く鋒の延びたものが多く、地肌*は大板目*がよくつんで地沸《じにえ》*がつき、尖りごころの刃が交じる大模様の不規則な互の目を焼く。帽子は乱れ込んで尖るが、火焔風で返りは深い。本刀は後代の室町期の作である。

15　　　　五〇頁

片鎌槍　銘　山城守《やましろのかみ》国重《くにしげ》
宝永元年甲申□月吉日

江戸時代（宝永元年、一七〇四）
刃長21・6cm

幅広の片鎌槍で蓮花に梵字の彫がある。鍛えは板目つみ刃縁は柾流れる。直刃*小沸《こにえ》*つき冴える。*

国重は武蔵の刀工で槍を好んで造り、十文字槍、三角槍、両鎬《しのぎ》槍等をよく見かける。

16　　　　五一頁

槍　銘　河内守《かわちのかみ》藤原《ふじわら》国助《くにすけ》

江戸時代
刃長42・9cm

地刃共に健全、板目肌*総じて柾流れる。刃文*は直刃*やや のたれ*ごころあり、刃縁小沸《こにえ》*、働き*もある。鋒にかけて帽子*の匂《におい》*深くなる。

初代国助は勢州亀山（三重県）の城主関長門守の臣で、関家没落後京へ出て堀川国広の門となり、鍛刀を学び、後に大坂に移住する。

互の目*乱れ、のたれ乱れ等のよく出来ているものは、地刃共によく沸え、匂深く砂流し*などかかり一見国広と見えるものもある。

17
刀　無銘〔伝備前《びぜん》国《こく》秀光《ひでみつ》〕

五二頁

南北朝時代
刃長64・3cm

鎬《しのぎ》造り*、大磨上《おおすりあ》げ*、表裏棒樋*を彫り身幅やや狭めであるが、茎《なかご》*の磨上げ状態は大変に良い。地鉄《じがね》*は大板目に柾流れ、荒く肌立つが、映り*が見事に立つ。刃文は尖りごころのある互の目乱れ*、鋒に行くにつれ焼幅の高い乱れとなり、帽子*は深く丸く返る。刃縁は小沸《こにえ》*がちで明るく冴える。

秀光は小反系、右衛門尉《うえもんのじょう》と称し作品は貞治より明徳に至る。小反物は吉野後期の、あまり系統のはっきりしない長船刀工の時代的呼称で、作風は兼光、政光、義光等に似るが小模様の刃文*が多い。

18
槍　銘　平安《へいあん》城住《じょうじゅう》下坂《しもさか》

五三頁

江戸時代
刃長41・3cm

柾目肌*よくつみ地沸《じにえ》*つき、直刃*よく沸え、処々荒沸*つく。刃縁はしきりと砂流し*かかり二重刃交じる。肉置き*がしっかりと地刃共に健全である。

19
太刀　銘　行光《ゆきみつ》

五四～五五頁

室町時代
刃長71・8cm

20
短刀　銘　備前《びぜん》国住《こくじゅう》長船《おさふね》
孫右衛門尉清光《まごえもんのじょうきよみつ》
永禄九年二月吉日

五六～五七頁

室町時代（永禄九年、一五六六）
刃長28・7cm

冠落造《かんむりおとしづくり》*の鎧通し。肉置き*たっぷり重ね厚くずっしりと重く、地鉄《じがね》*板目肌沸《にえ》*よくつき、物打より鋒にかけて柾鍛風となる。刃文*は直刃*に足*入り匂*出来となる。帽子*は二重刃風を表し丸く返る。表裏樋中*に梵字浮彫。銘を表に備前国住長船、裏に孫右衛門尉清光と切り年紀を棟に切る。

室町中期から末期の備前刀を末備前と呼ぶ。鎧通し、両刃の短刀はこの時代に出現した。清光は同時代の勝光、祐定について上手く、五郎左衛門尉、孫右衛門尉等の俗名を冠するものが優っている。時には乱れ刃も焼くが直刃を得意とする。

21
脇指　銘　和泉守《いずみのかみ》藤原《ふじわら》国貞《くにさだ》

五八頁

江戸時代
刃長40cm

鎬《しのぎ》造り*、幅広の脇指で板目細かく梨地肌*風に見え、地景*入り、刃文はのたれ*調の乱れ刃*、小沸《こにえ》*、匂《におい》*も深く金筋*、砂流し*もかかり働き*充分で冴える。鋒は大きく延びて帽子*の沸強く、のたれ込んで深く返る。地刃共に健全、初代国貞の傑作である。

国貞は本国日向国飫肥《おび》（宮崎県）に生まれ、京都に出て堀川国広門に入り、後に大坂に移住する。

22
剣　無銘〔伝天国《あまくに》〕
鎌倉時代
刃長35・5cm

板目肌*なるも柾*流れ気味で地鉄《じがね》*非常に強く、刃文*は直刃*やゝのたれ*、刃縁に小沸《こにえ》*をつけるがあまり冴えず沈む*。研べりにて地づかれがあるが、わずかに映り出る。茎《なかご》*の調子良く、当宮伝来で天国といわれている。

五九頁

▽研べりにて地づかれがある
研いだことにより肉置きが減り、地鉄の肌目がゆるみ白けること

23
短刀　銘　備《び》州《しゅう》長《おさ》船《ふね》法《のり》光《みつ》
永□三年十月日
室町時代
刃長19・8cm

平造り*、ふくら頃合に枯れ、重ね厚めなるも気品ある小振の短刀である。板目肌*よくつみ地鉄《じがね》*強く、刃文は小豆つぶを並べた様な互の目乱れ*、小沸《こにえ》*よくつき、匂口*やゝ締る。刃縁に沿って映り見事に出る。帽子*は小丸に品よく返る。景光あたりを写したものであろう。裏中程に刃中しみる処があるが、末備前にはよく見受けられるものである。

六〇頁

24
短刀　銘　信国《のぶくに》
室町時代
刃長28cm

平造り*、梵字をはさみ上下に棒樋*と添樋*、倶利伽羅の彫がある。身幅広め、重ね薄く反りわずかにつく。鍛えは小板目に杢目肌交じり、地沸《じにえ》*一面につき飛焼*入るも地鉄《じがね》*弱き感がある。刃文は直刃*で匂口*締り気味、刃縁の小沸《こにえ》*見事につき冴える*。

信国は山城住人、古くは延文年紀のものを見るが、本刀は応永の源左衛門尉信国であろう。作品は平造り寸延び短刀が多く、棒樋に梵字、素剣等を彫ったものをみるが、刃文は互の目*の揃ったものが多い。

六一頁

25
刀　銘　兼春《かねはる》
室町時代
刃長76・8cm

鎬《しのぎ》造り*、反りひと際高く身幅たっぷりと肉置き*の良い堂々とした姿。地鉄《じがね》*は板目肌処々柾*に流れ白気映り出る。直刃*仕立の小乱れ刃で匂口*締る。帽子*は品よく小丸に返る。

美濃国関で室町中期から末期にかけて活躍した刀工を末関一派と称し、兼春もこれに属する。作柄はどの刀工もほとんど類似しており、一般的に地鉄《じがね》*鍛え荒く大板目に柾交じり、尖りごころの互の目*乱れを焼き総体的に荒沸《あらにえ》*がつき白気映りとなる。

六二頁

26
太刀　銘　行光《ゆきみつ》
室町時代
刃長72cm

同作二振あるが、共に反り高く姿のいいものである。まぜ鉄風の肌立った板目鍛え*荒く、大肌表れ流れ柾強い。全体的に白け大肌物で時代あまり上らず、刃文は互の目*乱れ*、刃中の働き*なく沈む。帽子*は小丸に返る。北国物と鑑せられる。共に目釘孔なし。

六三頁

27
刀　銘　二《に》王《おう》元《もと》清《きよ》
天正三年拾二月日
室町時代（天正三年、一五七五）
刃長68・9cm

六四頁

鎬《しのぎ》造り*、輪反りで姿良く、地鉄《じがね》*大板目、柾流れる処もある。刃文*は互の目*乱れに尖り刃交じり、刃先に沸《にえ》*よくつく。鎬《しのぎ》地一面に土落ちあり白気映り出る。帽子*は掃きかけて焼つめる。

周防国の刀工で初祖を清綱という。二王の派名の発生については、『古刀銘尽大全』に「宗三郎清綱を二王三郎と云う事は、杉の森と云う在所に合戦有りて堂社に火を掛けしに、其門の二王即に焼けんとするを、鉄の大鎖を宗三郎の打たる刀にて切って二王を助け奉る。それにより二王三郎と云い其の子孫を二王と云う」と記している。

28　**降《こう》魔《ま》剣《けん》**　六五頁

鎌倉時代
刃長44・9cm

身幅広め、平肉はないが地鉄《じがね》*がしっかりとしており保存状態が良い。板目肌*立ち気味、刃文*は直刃*調にややのたれ*、刃縁おおいに沸《にえ》*づいて掃け、匂口*深く沸ごもる。帽子*は沸づいて掃きかける。時代は少し下がる様である。当宮の伝来では、降魔剣という。

29　**脇指　銘　豊《ほう》州《しゅう》高《たか》田《だ》住《じゅう》久《ひさ》盛《もり》作《さく》**　六六頁

室町時代後期
刃長51・8cm

鎬《しのぎ》造り*、生《う》ぶ茎《なかご》*、重ね身幅共頃合、地鉄《じがね》*は大板目かす立つ。鎬《しのぎ》地流れ柾となり、刃文*は直刃*仕立に尖りごころの刃を交え、小沸《こにえ》*つくが働き*なく冴え*ない。帽子*は掃きかけてわずかに返る。

30　**刀　銘　備《び》州《しゅう》長《おさ》船《ふね》則《のり》光《みつ》**
寛正三年八月日　六七頁

室町時代（寛正三年、一四六二）
刃長61・8cm

鎬《しのぎ》造り*、身幅頃合、反り高く重ね厚めに肉置き*も良く健全。地鉄《じがね》*は板目よくつみ美しくわずかに映り立つ。刃文*は腰の開いた互の目*乱れに足入り*、刃縁小沸《こにえ》*が見事に明るく冴える*。表裏棒樋*に添樋*あり、帽子*深く乱れ込んでわずかに返る。

則光の初代は小反一類守助の子というが、享徳、長禄、寛正頃の裏銘ある二代則光の方を賞美し、之を特に寛正則光と呼んでいる。本刀は代表的なもので傑作である。

31　**太刀　朱《しゅ》銘《めい》　ももかち**
〔大和《やまと》千《せん》手《じゅ》院《いん》〕　六八〜七一頁

鎌倉時代
刃長83・8cm

鎬《しのぎ》造り*、重ね尋常、表裏に棒樋*、小鋒*で腰反り強く、生《う》ぶ茎《なかご》*であるが踏張りはあまりない。地刃のつかれが若干あるが柾目肌*細かく一面に地《じ》沸《にえ》*、かすかに白気映り立つ。小沸《こにえ》*で埋った細直刃*かすかに残る。当宮の記録によると「ももかち」とある。百戦百勝という意味か、刃先と棟に無数の切込みがある。大和千手院と鑑せられ、茎《なかご》のさびの調子も良く鎌倉期を下る事はない。

32　**刀　銘　相模《さがみ》国《こく》住《じゅう》寿《じゅ》命《みょう》**　七二頁

江戸時代
刃長69・8cm

寿命と銘を切る刀工は十数名いるが、古来その銘から縁起の良い刀として好まれたようである。本来は美濃の刀工であるが、本刀は相模国と銘を切っており、多分出身は美濃で相州に移り鍛刀したものであろう。作柄は板目が荒くざんぐり*と肌立ち、刃文*は互の目*乱れ、刃縁に叢沸《むらにえ》*がつく。

美濃出自独特の白気映りが立ち、帽子*は丸く硬くとまる。

33
短刀　銘　助貞《すけさだ》
七三頁

室町時代
刃長22・4cm

平造り、*少し区送り、*重ね厚くわずかに反りがある。板目鍛え、やや流れ肌立ちごころ、研べりのため地鉄《じがね》*が弱くかす立つ。刃文*は直刃仕立*の小乱れ、小沸《こにえ》*、砂流し*かかり金筋入る。物打は沸こもり匂*深くなり帽子*乱れ込んで深く返る。棟は一面に焼け、表に梵字、裏に護摩箸の痕跡が遺る。

34
脇指　銘　秋広《あきひろ》
七四頁

室町時代後期
刃長39・2cm

寸延びの平造り、*身幅広く三つ棟、ふくら*やや枯れる。板目肌流れ*ごころあり、ざんぐりとする。刃文*は皆焼《ひたつら》*、刃縁おおいに沸えるもやや匂口締り*気味。秋広と銘があるが、代下がり、室町後期の作と鑑する。

35
脇指　銘　備州長船法光作《びしゅうおさふねのりみつさく》　宝徳二年八月日
七五頁

室町時代（宝徳二年、一四五三）
刃長38・8cm

菖蒲造、大変重ね薄いが鎬《しのぎ》*やや高め、地鉄《じがね》*は強く小板目よくつんで杢目肌表れるが、やや柾風に流れる処もある。刃文*は焼幅の低い細直刃、*小沸《こにえ》*むらなくつき匂口*冴え、帽子*は小丸に少し返る。銘鑑によると法光は数名いるが、当宮には永禄年紀の景光写しの短刀もある。

36
小太刀　銘　備州長船元《びしゅうおさふねもと》（以下切）
七六頁

南北朝時代
刃長54・4cm

鎬《しのぎ》造り、*身幅頃合、重ね尋常。小太刀姿、板目鍛、刃縁に沿い、流れごころあり。直刃仕立*、鎺《はばき》元《もと》*砂流し*風のものあり。匂口小沸《こにえ》*つき、やや締る。小鋒となり、帽子*ふくらに沿って短く返る。銘に備州長船元と切る。総体に映りごころがある。

37
脇指　銘　豊州高田住藤原行長《ほうしゅうたかだじゅうふじわらゆきなが》
七七頁

江戸時代
刃長54・6cm

鎬《しのぎ》造り、*身幅頃合、重ね厚く中鋒。板目肌*立ち、刃縁に流れごころあり。刃文*直刃仕立*、刃縁小沸《こにえ》*つく。

38
脇指　銘　三品源直道《みしなみなもとなおみち》
七八頁

江戸時代
刃長50・3cm

鎬《しのぎ》造り、*身幅広く、重ねやや厚い。板目鍛え細かにつみ、地肌*肌立ちごころの処あり。刃文*は直刃仕立て。焼き出し一寸ほどあり、やや匂口*締る。鋒は三品帽子*となり、尖りめに返る。茎《なかご》*は化粧鑢《やすり》、三品源直道と切る。

39
脇指　銘　菊紋　伊賀守藤原金道《いがのかみふじわらきんみち》　日本鍛冶惣匠
七九頁

江戸時代
刃長56・6cm

鎬《しのぎ》造り*、身幅頃合、重ね薄め。板目鍛えやや肌立ち、流れごころあり、白ける。直刃*仕立の刃文*、匂口*締り、小沸《こにえ》*つく。帽子*は三品帽子となる。本国美濃、金道の二代作なり。初代は菊紋を彫らず、二代目より刻す。二代は日本鍛冶惣匠と切り、三代は日本鍛冶惣匠または、宗匠と切る。

40 **薙刀　無銘** 八〇～八一頁

室町時代

刃長48・6cm

大磨《おおすり》上《あ》げ、鎬《しのぎ》高*く、地《じ》鉄《がね》*柾目に処々大板目肌*出て、地景*入り、乱れ映り立つ。刃文*は互の目*丁子乱れ*よく冴え、*金筋入り、小沸《こにえ》*出来。帽子*は乱れ込んで小さく丸く返る。肉置き*良く地刃共に健全、大和物に鑑せられる。

時代は古く鎌倉時代、南北朝時代にこの薙刀姿を見る。

41 **刀　銘　大《おお》平《ひら》藤《ふじ》幸《ゆき》員《かず》**

万延元年八月日 八二頁

江戸時代（万延元年、一八六〇）

刃長76・2cm

鎬《しのぎ》造り*、身幅広く、平肉豊かな堂々たる姿。地《じ》鉄《がね》*は板目肌*細かにつみ、無地風となる。

刃文*は丁子乱れ、*刃縁締り、処々硬い刃が現れる。中鋒にして帽子*乱れ込んで丸く返る。武道家で愛刀家でもある米国人より奉納されたものである。

42 **太刀　銘**

相模《さがみ》国《こく》住《じゆう》人《にん》於鶴岡《つるがおかにおいて》綱《つな》広《ひろ》造之《これをつくる》

慶長七年二月吉日 八三頁

安土桃山時代（慶長七年、一六〇二）

刃長71・4cm

鎬《しのぎ》造り*、反り浅く重ね薄めで身幅は頃合。地《じ》鉄《がね》*は板目処々に大肌表れ大板目となりやや肌立つ。刃文*は皆焼《ひたつら》*で激しく、刃縁小沸《こにえ》*締り気味。表腰に二筋樋*、裏腰樋*有り、帽子*はのたれ*込み深く丸く返る。

綱広三代の作で当宮境内にて作刀したものであろう。三代綱広は津軽為信公に呼ばれ、三年間に三百腰を鍛刀したといわれ、これを津軽打と呼び特に人気がある。

43 **大太刀　銘　鎌倉鶴岡八幡宮寄進者也** 八四～八七頁

本《ほん》多《だ》弥《や》八《はち》郎《ろう》正《まさ》信《のぶ》

天正廿年壬辰八月十五日敬白

大《だい》納《な》言《ごん》家《いえ》康《やす》卿《きよう》武《ぶ》運《うん》長久《ちようきゆう》殊《しゆ》者《しや》

今度《このたび》唐《からに》入《いり》早《さつ》速《そく》御《ご》開《かい》陣《じん》

丹《たん》誠《せい》旨《しい》趣《しゆ》仍如件《よつてくだんのごとし》〔伝二代綱広〕

安土桃山時代（天正二十年、一五九二）

刃長134・4cm

長さの割には身幅はあまり広くないが、反り高く踏張りあり、生《う》ぶ茎《なかご》*の大太刀である。板目肌*つみつつも、大肌も表れ総体に荒くざんぐり*として、鍛え割れもある。刃文*は沈みごころの互の目*丁子乱れ*、小沸《こにえ》*出来、しみる処あるが砂流し*、金筋、盛んに入る。中程より鋒にかけて互の目刃締り焼幅高くなり足*入る。帽子*は乱れ込んでわずかに返る。

鶴岡八幡宮の記録によると文政年間に焼失したため山村綱広、大久保和平両刀工が再刃したものである。作者名は判読できず不明であるが、二代綱広作といわれている。

44 **薙刀　銘　武《ぶ》州《しゆう》住《じゆう》藤《ふじ》原《わら》兼《かね》永《なが》** 八八～九〇頁

明暦元年五月吉日治詣

江戸時代（明暦元年、一六五五）
刃長75・2cm

奉納の為に造ったのであろう、大振りの薙刀で、身幅広く、重ね厚く、肉置き*たっぷりとし堂々たるものである。地鉄《じがね》*は板目荒く肌立ち、ざんぐり*とする。刃文*は直刃*、小沸《こにえ》*つき物打に金筋入るが刃中の冴え*なく働き*は少ない。鎺元《はばきもと》*より三寸程上がった処に土落ちがある。帽子*は掃きかけて丸く返る。

下原一派は享禄頃但馬守周重より興って一門刀匠多く、室町時代から新刀期まで栄えた。武蔵国下原（八王子）に住んでいたため「下原物」という。作柄は末相州風で、出来の良いものは、刃文大模様で荒沸《あらにえ》*が多くつき、相州上作に見えるものがある。

45

薙刀　銘　備《び》州《しゅう》長《おさ》船《ふね》祐《すけ》定《さだ》作《さく》

九一頁

安土桃山時代
刃長23・6cm

小振りの薙刀であるが、平肉十分につき地鉄《じがね》*小板目が細かくよくつむ。互の目乱れ*で尖りごころの刃交じり、矢筈刃《やはずば》*も処々見られる。刃縁小沸《こにえ》*匂口*総体に締る。帽子*は直刃*となり、ふくらに沿って品良く小丸に返る。

祐定は室町期より江戸期に至るまで八十数名程いるが、古刀期においては与三左衛門尉《よそうざえもんのじょう》祐定《すけさだ》、源兵衛尉《げんべえのじょう》祐定《すけさだ》等が名高く、新刀期においては七兵衛尉祐定、上野大掾《こうづけだいじょう》祐定が上手い。

46

刀　銘　宗《むね》近《ちか》

九二頁

室町時代
刃長66・2cm

鎬《しのぎ》造り*、刀銘で宗近とある。生《う》ぶ茎《なかご》*で身幅頃合、地鉄《じがね》*は板目鍛総体に流れ柾風、鎬《しのぎ》地に飛焼*あり、かすかに映り出る。直刃*小沸《こにえ》*よくつき、表裏共鎺元《はばきもと》*より五寸程上った処に喰い違い刃がある。室町時代の作であろう。

47

太刀　銘　昭和十五年八月吉日　村《むら》上《かみ》靖《やす》延《のぶ》謹《きん》作《さく》　神前紀元二千六百年記念　神奈川県知事

九三頁

昭和十五年（一九四〇）
刃長70・2cm

鎬《しのぎ》造り*、身幅尋常、重ね厚く鎬《しのぎ》高い。板目肌*よくつみ麗しく、刃文*は直刃*に足入り*匂口*締る。帽子*ややのたれ*て小丸に返る。

九段の靖国神社境内にて鍛刀した刀工は靖の字を冠する。靖延は直刃に小沸《こにえ》*つき、匂口の締ったものを得意として作刀した。

神宝の部

48

扁《へん》額《がく》銘《めい》文《もん》書《じょ》「八《はち》幡《まん》宮《ぐう》寺《じ》」

九五頁

寛永六年己巳年三月八壬巳日　無障金剛入道二品親王良恕書之
江戸時代（寛永六年、一六二九）
紙本墨書
縦101・5cm、横55cm

寛永六年（一六二九）に曼殊院良恕法《まんしゅいんりょうじょほう》親王が揮毫された扁額の下書原本。扁額はもと「八幡宮寺」と記されていたが、明治初年の神仏分離令により「寺」の字が取り除かれた。この書はその前の姿を残している。「八」の字は、八幡宮の神使鳩を表している。

49

伝 源頼《みなもとのより》朝《とも》坐《ざ》像《ぞう》

（複製）
鎌倉時代
像高70・6cm
原品　東京国立博物館蔵

九六頁

鎌倉幕府の初代将軍、源頼朝（一一四七～九九）は鎌倉を政治の中心地に据え、その都市づくりの中心・精神的中心として治承四年（一一八〇）に造営を始めたのが現在の鶴岡八幡宮である。本像は頼朝像として著名なものであるが、明治初年以前は八幡宮境内白旗神社の御神体であった。束帯姿の坐像で、同様の明月院・上杉重房像や建長寺・北条時頼像とならび、鎌倉地方の武将肖像として美術史上の価値も高い。

50

源《みなもとのより》頼《よし》義坐《ざ》像《ぞう》

室町時代
像高51・4cm

九七頁

源頼義（九八八～一〇七五）は由比郷の鶴岡八幡宮の創建者として知られ、父頼信とともに平忠常の乱を鎮めると、東国に源氏の勢力基盤を固めた。永承六年（一〇五一）陸奥守となり、また天喜元年（一〇五三）には鎮守府将軍を兼任した。そして前九年の役にのぞんで、石清水八幡宮に戦勝祈願をこめ、戦の鎮定後の康平六年（一〇六三）秋、鎌倉の由比郷に石清水八幡宮を勧請した。これが由比郷の鶴岡八幡宮の創建である。その後社地が移ってからも、この土地には元八幡社として残されている。本像は鶴岡八幡宮に伝存する頼義像で、室町時代の作ながら、おちついた面貌、ゆったりとした体部表現などに御影としての風格が感じられる。坐像は寄木造《よせぎづくり》で玉眼が嵌め込まれている。

51

赤《あか》絲《いと》威《おどし》菊《きく》金《かな》物《もの》付《つき》大鎧《おおよろい》

（複製）
鎌倉時代
兜鉢高11・5cm、前胴丈33・3cm、前草摺丈30・3cm
原品　櫛引八幡宮蔵

九八頁

鎌倉末期の方式による典型的な鎧であり、装飾された菊籬《きくまがき》金物意匠は精妙を極め、鎌倉時代金工芸術の特色をよく発揮しており、菊の咲き誇るさまを表現した枝菊文様金具の華麗さで知られた大鎧である。日本の甲冑は戦闘の道具でありながら、武士の戦場での晴れ着として優れた美術工芸的意匠を持つものである。また先祖から相伝された鎧は武士の家名の象徴でもあった。

52

紺《こん》糸《いと》威《おどし》四《よん》所《しょ》栓《せん》挿《そう》胴《どう》丸《まる》鎧《よろい》

戦国時代
兜鉢高12・5cm、前胴丈41cm、前草摺丈35cm

九九頁

盛上本小札の紺糸威《こんいとおどし》の胴丸。太田桔梗金物がついており、佩楯《はいだて》は補充されたもの。太《おお》田《た》道灌《どうかん》使用。

53

源《げん》平《ぺい》合《かっ》戦《せん》図《ず》屏《びょう》風《ぶ》

江戸時代
六曲一双
紙本着色
各隻縦１６８cm、横３８６・２cm

一〇〇～一〇一頁

源平合戦を描いた屏風は江戸時代に製作されたが、本屏風もその図柄において典型的な一例。屋島の合戦を中心に源平の戦の様子がよく描写されている。

54

国宝

籬《まがき》菊《きく》螺《ら》鈿《でん》蒔《まき》絵《え》硯箱《すずりばこ》

鎌倉時代
縦26cm、横24・1cm、高5・5cm

一〇二頁

源頼朝が後白河法皇より下賜されたものを、鶴岡八幡宮に奉納したとされる。沃懸地に螺鈿で籬に菊、そして小鳥を表した蓋《ふた》表。蓋裏と身はこれと同意匠を梨子地に金研出蒔絵という簡潔な技法で施している。内部には、中央に銀製鍍金《めっき》の提手《さげて》、注口付きの角形水滴と硯を置き、その左右には銀覆輪《ぎんふくりん》付きの浅い懸子《かけご》が納められている。また、箱すべての縁に銀製の覆輪をつけて置口としている。これらから判断して鎌倉時代初期蒔絵、螺鈿の代表的作品であり、また数少ない硯箱としても貴重な品である。

55

源《みなもとの》頼《より》朝《とも》像《ぞう》

一〇三頁

（複製）
鎌倉時代
絹本着色
縦145cm、横88・5cm
原品　大英博物館蔵

黒袍に太刀を佩《は》き、上畳に座す頼朝の容貌は、面長で頬の張りをやや薄く描く。京都の神護寺所蔵の伝源頼朝像と同じ像容でそれを忠実に写したものと考えられる。上部には頼朝を称える讃が記されており、讃文により、神護寺の画像を頼朝像とする重要な根拠となっている。一九二〇年に日本の古美術商の手を経て大英博物館の所蔵になったもので、それ以前の来歴は不詳である。

56

国宝
朱《しゅ》漆《うるし》弓《のゆみ》

一〇四頁

平安時代
長195・5cm、径1・8cm

檀《だん》の木で造られた約二メートルの弓で、全体に朱漆が塗られ両端には金銅製の弭《ゆはず》が嵌められている。握部下には樋《くぼみ》を彫っている。江戸時代の地誌『新編相模国風土記稿』（一八四一年完成）には「弓一張　源頼義当社勧請の時、石清水の神宝たりしを申し下して奉納すると言ひ伝ふ。元は二張あり。上下両宮に蔵せしが、文化四年（一八二二）火災の時、一張烏有す」とみえる。

57

国宝
沃《い》懸《かけ》地《じ》杏《ぎょう》葉《よう》螺《ら》鈿《でん》平《ひら》胡《やな》籙《ぐい》

一〇五頁

鎌倉時代
背板高32・4cm

胡籙《やなぐい》とは矢立てのことで、腰につけて携帯するための道具。外面は金沃懸地塗という蒔絵の手法を用いており、杏葉文の螺鈿を施す。内部は黒漆塗。一六枚綴りの薄い矢配板をいれている。周囲には金銅の覆輪をめぐらし、ふち寄りに矢束・受緒・懸緒通しの孔をあけ、鍍金菊座付きの鵐目《しとどめ》金具を打ち、紫染韋の折りたたみ紐を通している。『新編相模国風土記稿』には「平胡籙二口　二口共製作同くして一口には矢十五筋を盛る。是も弓と同く頼義の奉納と云」と伝える。

58

国宝
黒《くろ》漆《うるし》矢《のや》

一〇六頁

平安時代
総長74〜84・2cm

鏑矢十三隻、尖矢十三隻、丸根四隻、計三十隻で二腰分と考えられる。黒漆塗で矢羽は茶紫の斑入りの白羽。当初より奉納用に作られたと推測される。江戸時代の古宝物図録『集古十種』所収の尖矢図は矢羽を欠いているため、後補と考えられる。正月に授与される破魔矢の起源である。

59

重要文化財

鶴岡《つるがおか》八幡《はちまん》宮《ぐう》修営《しゆうえい》目論見《もくろみ》絵図《えず》

室町時代（天正十九年、一五九一）

縦137・5cm、横105・4cm

一〇七頁

小田原北条氏を降伏させて関東に入った豊臣秀吉（一五三六～九八）が、故地関東八州の太守に任じた徳川家康に、天正十九年（一五九一）五月十四日付で、八幡宮造営を命じたときの設計図で「天正指図」とも呼ばれている。

秀吉の奉行であった片桐直倫、山中長俊、増田長盛の花押があり、「しゆり」「あたらしく」などの詳細な指示は朱字で書かれている。当時の八幡宮境内全域の様子を知ることのできる貴重な資料である。

60～64

重要文化財

舞楽面

鎌倉時代

一〇八～一一〇頁

蘭《らん》陵《りよう》王《おう》面《めん》

面長33・3cm

散《さん》手《じゆ》面《めん》

面長24・3cm

貴《き》徳《とく》番《ばん》子《こ》面《めん》

面長23・4cm

貴《き》徳《とく》鯉《こい》口《ぐち》面《めん》

面長25・5cm

二《に》ノ《の》舞《まい》面《めん》

面長30・9cm

舞楽面とは、雅楽の演奏にのって舞う際に顔につける面のことである。鶴岡八幡宮における舞楽の歴史は古く、『吾妻鏡』や『鶴岡社務記録』、『鶴岡八幡宮社務職次第』などに記述がみえる。それらによると、文治五年（一一八九）三月三日、鶴岡若宮で頼朝臨席のもとに初めて法会が行われ、流鏑馬《やぶさめ》のほかに舞楽、相撲などが催されたという。

創始当初は伊豆山や箱根の児童による童舞であったが、建久四年（一一九三）には専属の舞童が養成されることになり、当宮門弟や御所侍の子息等が選ばれ奉仕した。

さらに、このころ当宮に楽所（雅楽をつかさどる部署）が設置され、以後楽所の演奏者の手で本格的な舞楽がたびたび執り行われたと思われる。当宮に残る五面は、そうした舞楽のうち、それぞれ「陵王」「貴徳」「二ノ舞」「散手」という演目で使われたものである。舞楽が盛んであった当時の鶴岡八幡宮の様子が窺える。

現在では、年に一度、五月五日の端午の節句に、東京楽所によって舞楽が奉納される。

65

重要文化財

菩《ぼ》薩《さつ》面《めん》

鎌倉時代

面長23・2cm

一一〇頁

古くは来迎会という仏教行事や「菩薩」という舞楽の演目に用いられた面。当宮の菩薩面は舞楽用であったと推測されているが、舞が廃絶したこともあり、現在となってはどちらに用いたか不明である。

鎌倉時代前期の作で当代菩薩面の代表的遺例である。源頼朝が東大寺大仏の供養に参列した際、同鎮守社手向山八幡宮から贈られたものと伝える。檜材に黒漆、金泥を塗り重ねてあるほか、冠にも金泥を塗り、頭髪に緑青、唇には朱の彩色を施してあった。その厳しく引き締まった相貌は気品に満ち、この時代の優れた菩薩像の面部と作風を同じくしている。『集古十種』によれば、もとは十二面あったことが知られるが、火災などで失われ、現在は本面のみが現存する。

部分名称

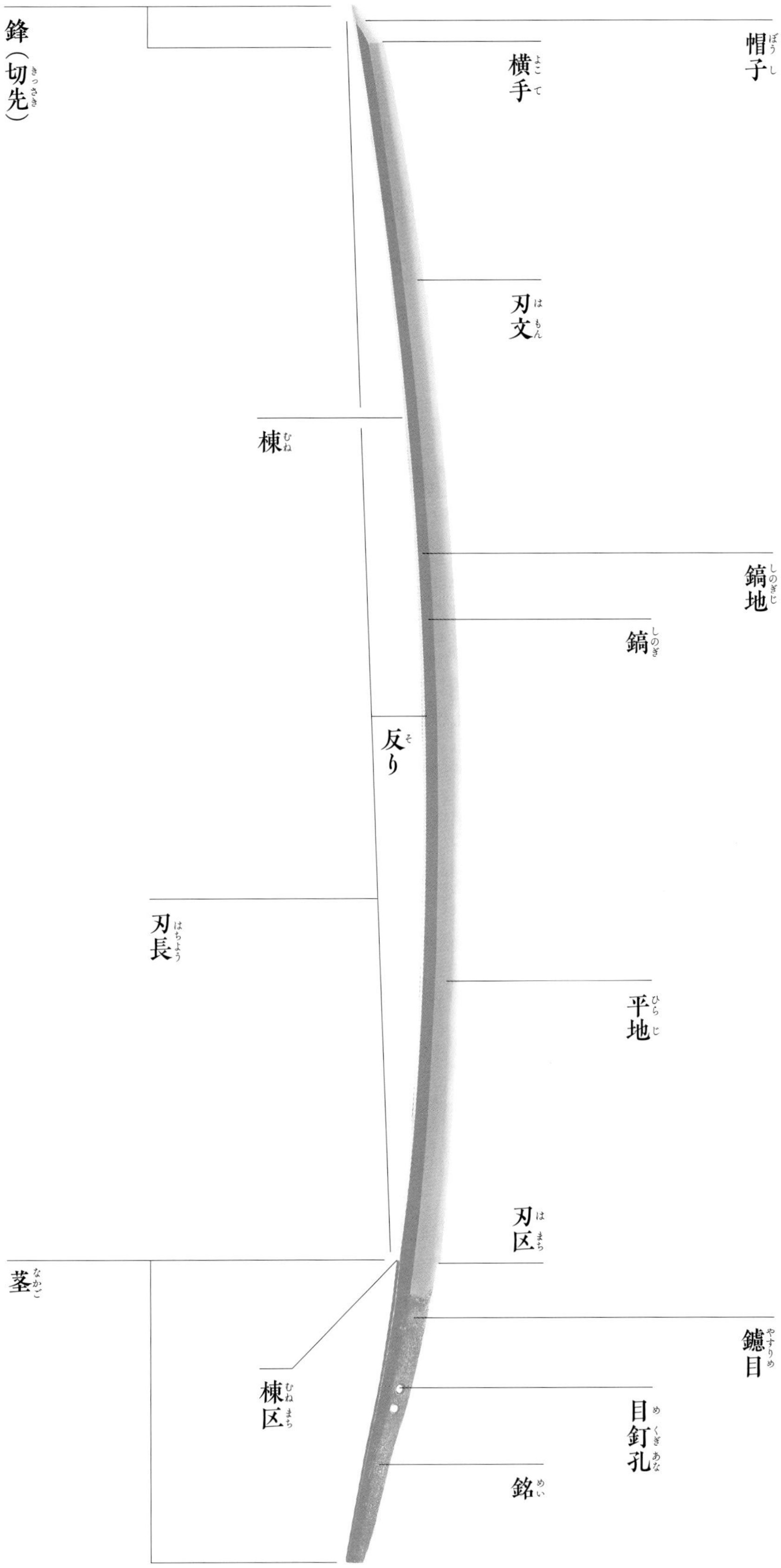

写真：国宝太刀銘正恒、鎌倉時代

刀剣用語解説

凡例

・ここでは作品解説に出てくる刀剣用語を簡易的に説明した。

あ

足 あし　刃縁から刃先に向かって尖ったように伸びる部分

荒沸 あらにえ　粒子が大きい沸　→沸

板目肌 いためはだ　鍛錬によって地鉄《じがね》の表面に現れる木材の板目のような模様

〔板目肌よくつみ〕板目模様が細かく、美しい様

生ぶ茎 うぶなかご　刀工が造ったままの茎姿

か

冠落造 かんむりおとしづくり　刀身の上三分の二位の棟側を薄く削ぎ落とし、鎬筋を鋒まで通した造込み　→造込み

互の目 ぐのめ　碁石を並べ横から見た形から、丸い文様が波のように連続した様

小沸 こにえ　小粒の沸　→沸

小杢目肌 こもくめはだ　杢目肌の細かいもの　→板目肌、杢目肌

さ

冴える さえる　刀身に光を当てると沸や匂が強く鮮明に見える様

ざんぐり 地鉄が細かく詰まらず、地肌がよく現れ、荒れて見える様

地中 じちゅう　地鉄《じがね》部分のこと。鑑賞の要素となる

地沸 じにえ　地肌に散在する沸粒子　→沸

鎬造り しのぎづくり　→造込み

地肌／地鉄 じはだ／じがね　鍛錬で現れる肌文様を地肌、その素地を地鉄という

直刃 すぐは　直線的な刃文を直刃とよび、焼き幅が極めて細い「糸直刃」から「細直刃」、「中直刃」、最も広い「広直刃」の四種がある　→刃文

砂流し すながし　刃文の働きのひとつで、刃中の沸が線状に箒で掃いたようになった文様

磨上げ すりあげ　刀の茎先を切り取り、刀身を短くすること

添樋 そえび　樋に沿うように細く掻かれた樋　→樋

た

地景 ちけい　地中に現れる線状の文様　→地中（じちゅう）

中直刃 ちゅうすぐは　→直刃

丁子乱れ ちょうじみだれ　植物の丁子の蕾が重なったような美しい刃文

造込み つくりこみ　刀身の立体的な形状のこと。平造り、刃と棟の中間に鎬《しのぎ》を設けた鎬造り（本造り）、片切刃造りなどがある

連樋 つれひ　先端が棒樋の先まで並行して掻かれた樋　→棒樋

飛焼 とびやき　刃部の焼とは別に、平地に独立した焼が入ること

な

茎 なかご　部分名称図参照

沸 にえ　焼き入れで生じる化学変化による粒子で、肉眼で見えるものが沸、微細なものが匂

〔沸出来〕粒子がよくついている作域

匂 におい　焼き入れで生じる粒子が微細な状態

〔匂深く〕細かい匂の密度が深いこと

匂口 においぐち　刃文と平地の境界線

〔匂口締まる〕匂口が線で描いたようにきりりとする様

肉置き にくおき　刀身の平地にみる厚み

のたれ（湾れ）／湾れ刃 ゆったりとした波状の刃文

は

働き はたらき　地鉄《じがね》や刃中に現れた景色

刃区 はまち　→区

刃文 はもん　焼き入れによって刀身に形成された刃部の文様

樋 ひ　刀身に彫られた細長い溝

皆焼 ひたつら　刃の部分だけでなく、刀身全体に飛焼がかかる刃文　→飛焼

平造り ひらづくり　造り込み

紅韋 べにがわ　鹿革に型紙を用いて藍や紅で摺り染めしたもの

帽子 ぼうし　部分名称参照

棒樋 ぼうひ　刀身に沿って掻かれた樋　→樋

ま

柾目肌 まさめはだ　地鉄《じがね》の表面が木材の柾目のように折り重なった文様

区 まち　刀身の刃部と茎との境を区といい、刃側を刃区、棟側を棟区とよぶ

乱れ刃 みだれば　直刃でない刃文の総称　→刃文、直刃

杢目肌 もくめはだ　鍛錬によって地鉄の表面が木の杢の如く年輪のようになった文様

や

矢筈刃 やはずば　乱れ刃の一種で、頭の尖った部分が矢筈型に開いた刃文

葉 よう　働きの一種。刃中に点在する匂の塊　→働き、匂

謝辞

展覧会の企画趣旨に賛同くださり、格別のご協力を賜りました本阿彌光次様、久保恭子様に深甚なる感謝の意を表します。

鎌倉文華館 鶴岡ミュージアム館長
鶴岡八幡宮 宮司
吉田茂穂

本書は以下の展覧会に関連して出版されました。

鶴岡八幡宮の名刀　歴史に宿る武士の信仰
会期　二〇二一年九月一日〜十二月五日
会場　鎌倉文華館 鶴岡ミュージアム

執筆者・監修者紹介

本阿彌光次 ほんあみ・こうじ

水戸本阿彌家当主、刀剣研師、刀剣鑑定士。

早稲田大学卒業。先代から鶴岡八幡宮所蔵の刀剣の管理に携わり続ける。鎌倉居合道協会会長、範士十段でもあり、当宮の奉納居合を行う。前日本美術刀剣保存協会鎌倉支部長。

久保恭子 くぼ・やすこ

公益財団法人 日本美術刀剣保存協会刀剣博物館学芸員。
立教大学卒業。佐野美術館学芸員を経て、一九九四年より現博物館に勤務。二〇〇九年より主任学芸員、二〇一五年より事業課長を兼任。監修著書に『図解日本の刀剣』などがある。

吉田茂穂 よしだ・しげほ

鶴岡八幡宮宮司、神奈川県神社庁長、鎌倉文華館鶴岡ミュージアム館長。

國學院大学卒業。宮司として神道を、館長として鎌倉の伝統文化を伝える活動に従事。監修著書に『鎌倉の神社』などがある。

鶴岡八幡宮の名刀

歴史に宿る武士の信仰

二〇二一年九月一日
初版第一刷発行

企画　鶴岡八幡宮
発行者　藤元由記子
発行所　株式会社ブックエンド
〒一〇一・〇〇二一
東京都千代田区外神田六丁目一一・一四
アーツ千代田3331
電話　〇三・六八〇六・〇四五八
http://www.bookend.co.jp
装幀　吉野 愛
印刷・製本　日本写真印刷コミュニケーションズ株式会社

ISBN978-4-907083-72-4